P9-CRN-592

J. M. G. Le Clézio

Diego et Frida

Gallimard

J.M.G. Le Clézio est né à Nice le 13 avril 1940; il est originaire d'une famille de Bretagne émigrée à l'île Maurice au XVIIIᵉ siècle. Il a poursuivi des études au Collège littéraire universitaire de Nice et est docteur ès lettres.

Malgré de nombreux ouvrages, J.M.G. Le Clézio n'a jamais cessé d'écrire depuis l'âge de sept ou huit ans poèmes, contes, récits, nouvelles, dont aucun n'avait été publié avant *Le Procès-verbal*, son premier roman paru en septembre 1963 et qui obtint le prix Renaudot. Son œuvre compte aujourd'hui une trentaine de volumes. En 1980, il a reçu le Grand Prix Paul-Morand décerné par l'Académie française pour son roman, *Désert*.

Prix Jean Giono pour l'ensemble de son œuvre.

J'adresse mes remerciements à Bertram Wolfe, auteur de *The Fabulous Life of Diego Rivera* (Stein & Day, New York, 1963), où j'ai puisé une grande partie des détails de la vie du peintre ; à Gladys March, qui a recueilli les Mémoires de Diego (*My Art, my Life*, The Citadel Press, New York, 1960) ; à Anita Brenner, pour son *Idols behind Altars*, témoignage sur le Mexique des années trente ; à Raquel Tibol, qui a écrit dans *Frida, una vida abierta* (Oasis, Mexico, 1983), un émouvant hommage à celle dont elle fut l'une des amies intimes ; à Martha Zamora (*El pincel de la angustia*, La Herradura, Mexico, 1987) ; et à Hayden Herrera, auteur de *Frida, a biography of Frida Kahlo* (Harper & Row, New York, 1983), le récit le plus documenté de la vie de cette femme hors du commun. Enfin, mes remerciements vont plus particulièrement à José Juarez et à Madame Dolores Olmedo Patiño qui m'ont si généreusement ouvert les portes de la Fondation Dolores Olmedo, et à mon ami Homero Aridjis, grâce à qui cette rencontre a été possible.

Sandunga mande a tocar
ay mama por Dios
Sandunga cantaba cielos
cielos de amor
Al oirte cantar Sandunga
de oro por Dios
Las lágrimas me brotaron
en mi pecho
sentí dolor
Ay Sandunga que Sandunga
vana y mama, mama
Sandunga tu eres Tehuana
clavel de Tehuantepec
Ay Sandunga

La Sandunga
(Transcription
de Jennifer Sookne
in *Traditional Songs
& Dances from
the Isthmus of Tehuantepec,*
Henrietta Yurchenko,
Folkway Records, 1976).

PROLOGUE

Le 5 octobre 1910, alors que Porfirio Díaz prépare la célébration du centenaire de l'Indépendance dans les fastes inégalés de la monarchie absolue, un événement sans précédent dans l'histoire du monde bouleverse le Mexique où rien n'a changé depuis la chute des royaumes indiens aux mains des Conquérants espagnols. À l'appel de Francisco Madero — le « plan de San Luís » qui annule l'élection frauduleuse de Porfirio Díaz et donne le signal de l'insurrection — le peuple se soulève et plonge le pays dans une guerre brève et furieuse, qui coûte plus d'un million de morts et renverse l'ordre établi.

La révolution mexicaine est la première révolution sociale qui annonce celle de la Russie et marque le début des temps modernes. C'est un mouvement spontané qui parcourt l'ensemble du pays, parce que les paysans en sont les vrais acteurs. Au Mexique, en 1910, le paysage est tel que l'ont laissé les colons espagnols : immense masse rurale écrasée par les grands propriétaires, aliénée par une poignée de seigneurs et leurs milices. Quinze *hacendados* se partagent de gigantesques domaines, tels que la *hacienda* de San Blas au Sinaloa, ou celle de Progreso au Yucatán, comptant plus d'un million d'hectares, sur lesquels les propriétaires règnent en maîtres absolus, possédant rivières et villages indiens, si vastes qu'ils doivent s'y déplacer grâce à leurs propres chemins de fer. Leur fortune est inimaginable. Ils recrutent leurs précepteurs en Angleterre, envoient blanchir leur linge à Paris et font venir d'Autriche leurs gigantesques coffres-forts.

Le Mexique est alors encore une terre conquise où dominent les étrangers. Ceux-ci se partagent les empires commerciaux : les mines et les cimenteries aux Américains, l'armement et la quincaillerie aux Allemands, l'alimentation aux Espagnols, les tissus et les commerces de gros aux Français — les célèbres « Barcelonnettes ». Les Anglais et les Belges ont le monopole des chemins de fer, et les champs pétrolifères sont aux mains de dynasties américaines, les Doheny, les Guggenheim, les Cooke.

Le Mexique de Porfirio vit à l'heure européenne. L'art, la culture s'inspirent des modèles occidentaux. À Mexico, le dictateur a reproduit les perspectives parisiennes, et dans toutes les villes se trouvent des kiosques autrichiens où l'on joue des valses et des quadrilles. L'art, le folklore, la culture indigènes sont tenus dans le plus profond mépris, à l'exception des références obligées au prestigieux passé des Aztèques qui inspire au peintre Saturnino Herrán des tableaux à la manière antique où les Indiens sont habillés en guerriers hoplites et les Tehuanas en matrones romaines.

Le goût de cette fin de règne est d'un pompiérisme à la fois sinistre et ridicule. La plupart des écrivains et des artistes, de Vasconcelos à Alfonso Reyes, de Siqueiros à Orozco, fuient ce climat étouffant d'art courtisan et vont chercher en Europe l'air de la liberté.

La révolution qui éclate à l'appel de Madero n'est pas une flambée de violence gratuite. Elle est impérieuse et tragique, une vague née de l'abus des Conquérants et du viol de la conscience indienne, gonflée d'une nécessité vieille de quatre cents ans. Les deux hommes qui incarnent cette révolution n'ont pas d'équivalent dans l'histoire. Violents, incultes, intransigeants, ils sont véritablement les symboles du peuple mexicain. La vague révolutionnaire les élève au plus haut, les porte jusqu'au Palais National, sur la place centrale de Mexico où jadis ont régné les seigneurs d'essence divine des anciens Tenochcas, et les vice-rois d'Espagne.

Du rebelle Francisco Villa, simple vacher devenu général de la « division du Nord », le chroniqueur John Reed écrit, dans son *Mexique insurgé* : « C'est l'homme le plus naturel que j'aie jamais rencontré. Naturel, dans le sens où il est le plus près de la bête sauvage. »

Emiliano Zapata, l'« Attila du Sud », est l'absolu romantique de la révolution, l'Indien qui se bat « pour la terre et pour la liberté » avec son armée de paysans portant la machette, coiffés de leurs *sombreros* auxquels est épinglée l'image de la Vierge de la Guadalupe. « Grand, mince, écrit Anita Brenner en 1929, dans son costume noir sans fantaisie, portant un foulard rouge sang autour de son cou ; son visage osseux, où la peau atténue les angles, est construit en un triangle renversé dont la pointe est le menton ; ses yeux gris, son regard voilé, distant, sont à l'ombre du mur de son front ; sa bouche ferme, silencieuse, au modelé sensuel, est surmontée d'une énorme moustache dont les pointes tombent comme celles d'un mandarin chinois » (*Idols behind Altars*, p. 216).

Quand la révolution éclate au Mexique, Diego a déjà vingt-quatre ans, et l'éloignement — sa quête d'un art plus libre, dans le Paris du cubisme — l'empêche de prendre part aux événements. Il ne peut qu'applaudir au départ du vieux tyran qui, par une ironie du destin, choisit pour son exil la ville où se trouve le peintre qui exaltera la révolution. Frida Kahlo, elle, a trois ans au moment de l'appel de Madero, et sa vie à Coyoacán n'est guère troublée par les événements de Mexico.

En fait, Diego et Frida sont tous deux, avant tout, des provinciaux. Lui, de Guanajuato, né dans l'atmosphère archaïque de cette ville minière, où l'on pratique une familiarité un peu dédaigneuse avec le monde indien. Elle, de Coyoacán, que sa mère Matilde appelle le « village », grandie au rythme empreint de tristesse de la ville du « Marquis » Hernán Cortés, où les seuls événements sont les marchés hebdomadaires, et le seul mouvement celui des paysans indiens venus des villages alentour, Xochimilco, San Jerónimo, Iztapalapa, Milpa Alta.

Pour Diego, comme plus tard pour Frida, l'attrait, c'est Mexico. Non pas la mégapole d'aujourd'hui, piège pour les damnés de l'ère industrielle, mais cette ville éblouissante, légère, effervescente, dans laquelle se retrouvent au lendemain de la révolution les étudiants, les aventuriers, les amoureux, les maîtres à penser et les ambitieux politiciens, les théoriciens de l'art et les apprentis de la modernité.

Au lendemain de la révolution, la capitale mexicaine est devenue tout à coup ville ouverte. Les formidables mouvements de foule envahis-

sant le centre et la place du Zocalo derrière les
insurgés de Villa et Zapata ont ouvert la voie.
Chaque jour, de tous les coins du pays arrivent
des paysans, des curieux, qui parcourent les
rues, vont dans les marchés, les jardins publics,
s'attroupent autour des monuments autrefois
réservés à l'élite, se rencontrent, se
reconnaissent. Les commerces ambulants se
multiplient, les restaurants de plein air, les
hôtels bon marché, les transports en commun.
Les Mexicains tout à coup découvrent leur identité, leur art, leur musique populaire. Déjà circulent les *corridos*, cette poésie spontanée célé-
brant les héros de la révolution.

Le Mexico de Diego et Frida. Une ville où
bouillonnent la création, l'invention, la nouveauté. Aucune ville sans doute n'aura été aussi
révolutionnaire, synonyme de phare pour les
peuples opprimés de l'Amérique. Un lieu aussi
important, durant cette décennie 1920-30, aussi
fertile pour l'art et pour les idées que le furent
Londres au temps de Dickens, ou Paris à la belle
époque de Montparnasse.

En août 1926, en réparant une aile du Palais
National, les ouvriers mettent au jour les restes
de la grande pyramide de Mexico-Tenochtitlán,
au sommet de laquelle se trouve une pierre figurant le soleil — réalisant ainsi une ancienne

prophétie annonçant le retour du pouvoir ancestral du jour où renaîtrait le grand temple surmonté du soleil. Cette découverte, qui a lieu au moment où Diego Rivera entame les fresques de l'École nationale d'agriculture à Chapingo, a une valeur symbolique. Le moment est venu d'accomplir le renouveau de la culture indienne.

L'idée n'est pas neuve, pourtant : hérité de l'ère de Maximilien, l'indigénisme avait quelque chose de réactionnaire qui l'apparentait à l'esprit de caste de la colonie espagnole. D'autre part, la célébration excessive du passé aztèque — le pompeux monument érigé à Cuauhtémoc, dernier roi de Mexico, à la fin du XIXe siècle — était un leurre servant à masquer la condition misérable des survivants des nations indigènes. Au moment où l'on décorait la statue du jeune héros de la résistance aztèque, le gouvernement de Porfirio Díaz déportait les Indiens yaquis à La Havane, et les troupes du général Bravo mettaient à feu et à sang les villages des Mayas Cruzoob au Quintana Roo.

Diego et Frida, d'une certaine façon, ont incarné les vices et les vertus de cette époque où l'on réinvente les valeurs mexicaines, l'art et la pensée des civilisations préhispaniques. Diego est l'un des premiers à affirmer le lien entre le devenir révolutionnaire du Mexique et son passé indien : les anciens Mexicains, écrit-il,

« pour qui chaque action, depuis les rituels éso-
tériques des grands prêtres jusqu'aux plus
humbles tâches de la vie quotidienne, était
pleine de beauté sacrée. Pour qui les pierres, les
nuages, les oiseaux ou les fleurs étaient des
sources de délices et les manifestations de la
Grande Matérialité[1] ».

Diego et Frida consacreront toute leur vie à la
recherche de cet idéal du monde amérindien.
C'est lui qui leur donne leur foi révolutionnaire,
et qui fait briller alors, au centre d'un pays
ravagé par la guerre civile, l'éclat unique du
passé, comme une lumière qui attire les regards
de toute l'Amérique et symbolise la promesse
d'une nouvelle grandeur.

Le Mexico de Diego et Frida est une ville
entièrement tournée vers l'extérieur, qui leur
offre tout — une galerie d'exposition dont les
rues sont les œuvres en train de se faire.

C'est ici, au cœur de cette ville, dans un péri-
mètre restreint (entre les rues Argentina et
Moneda, le Zocalo, le jardin de l'Alameda et la
rue Dolores) que les événements marquants de
leur vie vont se dérouler. C'est dans la rue
Argentina, à l'École préparatoire, que Diego
commence à peindre ses fresques, et c'est là
qu'il rencontre Frida pour la première fois. Le
ministère de l'Éducation est à deux rues, à

---

1. In Bertram Wolfe, *Diego Rivera*, New York, 1979, p. 103.

l'angle d'Argentina et de Belisario Domínguez. Le marché San Juán, devant lequel Frida a été broyée dans un accident d'autobus, est à six rues, à l'ouest du Zocalo, et l'hôpital où on l'a emmenée est de l'autre côté de Reforma, près de San Cosme. Le Palais National auquel Diego consacre près de trente ans de sa vie est au cœur de la ville, là où jadis se dressaient les palais de Moctezuma, seigneur de Mexico-Tenochtitlán. Et le palais des Beaux-Arts, espèce de catafalque blanc où Diego et Frida recevront tour à tour l'ultime hommage du peuple mexicain, n'est qu'à quelques pas du jardin de l'Alameda où chaque soir s'attardent les amoureux.

Il y a quelque chose de miraculeux dans cette connivence entre la ville et ce couple de peintres venus de la province, unis dans la même foi révolutionnaire, pour la glorification du passé amérindien du Mexique.

Alors, tout semble possible. Une invincible jeunesse émane de la ville, de chaque monument, de chaque visage. Aucune autre nation n'a tenu tête avec une telle ardeur au pouvoir de l'argent et aux menaces armées des impérialistes. Toutes les idées et les illusions de ce temps juvénile naissent à Mexico et nulle part ailleurs : l'art populaire, la renaissance indienne, la croyance dans une ère nouvelle où les peuples opprimés du Sud se verraient enfin

rendre justice par les puissances privilégiées du
Nord. C'est véritablement l'instant historique
de la révolution — alors que sont encore présentes dans tous les esprits les images fulgu-
rantes des insurgés marchant dans les rues de la
capitale — depuis l'Indépendance, premier
espoir des nations accablées par la fatalité de la
pauvreté et de l'injustice.

L'histoire de Diego et Frida — cette histoire
d'amour inséparable de la foi en la révolution
— est encore vivante aujourd'hui parce qu'elle
se mêle à la lumière particulière du Mexique, à
la rumeur de la vie quotidienne, à l'odeur des
rues et des marchés, à la beauté des enfants
dans les maisons poussiéreuses, à cette sorte de
langueur nostalgique qui s'attarde au crépus-
cule sur les anciens monuments et les plus vieux
arbres du monde.

Les vrais chefs-d'œuvre ne changent pas, ne
vieillissent pas. Aujourd'hui, dans un monde qui
a connu tant de désillusions, alors que la beauté
des cultures amérindiennes est quotidienne-
ment bafouée par l'uniforme laideur des
empires marchands, les images que nous ont
laissées Diego et Frida — images d'amour, de
recherche de la vérité, où la sensualité se mêle
toujours à la souffrance — restent aussi fortes,

aussi nécessaires. Dans l'histoire du Mexique, elles continuent à briller comme des braises vivantes, et leurs rougeoiements sont les purs joyaux des enfants démunis.

RENCONTRE AVEC L'OGRE

Diego rencontre Frida pour la première fois en 1923, alors qu'il commence à travailler sur les fresques commandées par le ministère de l'Éducation pour la Preparatoria, le collège de Mexico qui forme les futurs étudiants de l'université. Plus tard, Diego racontera à sa façon cet épisode qui a transformé toute sa vie, et qui comptera comme l'instant le plus important de l'existence de Frida.

Alors qu'il travaille dans l'amphithéâtre Bolívar, la grande salle de réception qui sert également pour les concerts et les représentations destinés aux élèves de la Prepa, une voix moqueuse résonne, provenant de derrière les piliers, une voix qui crie : « Attention, Diego, Nahui arrive ! » — Nahui Olín est un modèle de Diego, son vrai nom est Carmen Mondragón, elle est la maîtresse du peintre Murillo, le célèbre « docteur » Atl, et peintre elle-même. Lupe Marín, la femme avec qui vit Diego en ce

moment, doit en être particulièrement jalouse.
Un autre jour, Diego est en train de peindre
Nahui Olín, et il entend la même voix railleuse :
« Attention, Diego ! Lupe arrive ! » Un soir, alors
qu'il travaille en haut de l'échafaudage, et que
Lupe Marín est assise dans la salle en train de
broder, il y a un bruit de voix de l'autre côté des
portes de l'amphithéâtre, et tout à coup une
jeune fille fait irruption, comme si elle avait été
poussée dans la salle.

Diego regarde avec étonnement cette « fille
de dix-douze ans » (en fait elle en a quinze)
vêtue de l'uniforme des collégiennes, et pourtant si différente des autres. « Elle avait un air
de dignité et d'assurance tout à fait inhabituel,
un feu étrange brûlait dans son regard. Sa
beauté était celle d'une enfant, et pourtant ses
seins étaient déjà bien développés. » Ainsi se
souvient Diego, lorsqu'il raconte sa vie à Gladys
March, entre 1944 et 1957[1]. L'affrontement
avec Lupe Marín, mains sur les hanches, regard
contre regard, qui suit l'entrée de Frida dans
l'amphithéâtre, est peut-être bien inventé. Tout
se perd dans la brume du souvenir, tout est à la
fois véridique et mythique dans cette première
rencontre qui met en présence, comme par une
nécessité de la destinée, l'enfant-diablesse, vive
et légère comme une danseuse, espiègle et

---

1. Diego Rivera, *My Art, my Life*, The Citadel Press, New York,
1960, p. 129.

sérieuse, et brûlant en effet de la flamme de l'absolu, et l'ogre dévoreur de femmes et acharné au travail.

De cette rencontre tout va naître, dans ce Mexique post-révolutionnaire où tant d'événements et tant d'idées se heurtent et se fécondent. C'est cette rencontre aussi qui va changer toute la vie de Diego, la faire accéder à une dimension de lui-même qu'il n'avait pas imaginée, et faire de cette jeune fille l'une des créatrices les plus originales et les plus puissantes de l'art moderne.

Alors il se passe vraiment quelque chose d'extraordinaire et d'exceptionnel dans la grande salle de l'amphithéâtre Bolívar, tandis que Frida tient tête au géant en équilibre sur l'échafaudage, en train d'ébaucher la fresque de la création de l'homme, et qu'elle ose lui demander de rester à le regarder travailler. Cet air de « dignité » dont il parle, c'est-à-dire le regard droit et dur de l'enfance, et cette grâce de jeune fille qui trouble les sens du séducteur, le retiennent déjà sans que ni lui ni elle en soient vraiment conscients. Plus tard, quand il s'en souviendra, Diego comprendra l'importance de cette rencontre qu'il n'attendait pas et qui lui a échappé, et pour cela il voudra la revivre, la raconter mieux, à sa façon, lorsque la liberté qui suivra la rupture avec Lupe Marín lui permettra de recommencer l'aventure depuis son commencement.

En 1928, alors que Diego travaille aux fresques commandées par le ministère de l'Éducation, des peintures sombres, inspirées par la lourdeur tragique de la Révolution russe, du haut de son échafaudage il voit « une jeune fille de dix-huit ans environ. Elle avait un beau corps nerveux, et son visage était délicat. Ses cheveux étaient longs, et d'épais sourcils noirs se rejoignaient à la naissance du nez, semblables aux ailes d'un merle, deux arcs noirs enserrant des yeux bruns extraordinaires », et il ne reconnaît pas l'enfant qui l'a défié dans le théâtre.

Si elle n'a pas eu lieu tout à fait dans les circonstances que le peintre rapporte, il se plaît à raconter ainsi cette deuxième rencontre qui scelle définitivement leur destinée, parce qu'elle rejoint la première. Maintenant, quelque chose a changé. L'enfant railleuse qui faisait résonner sa voix derrière les colonnes de la grande salle Bolívar de la Prepa de Mexico est devenue une jeune fille qui, en l'espace de cinq ans, a connu les souffrances les plus extrêmes et est devenue peintre à son tour. Elle a brûlé les étapes pour rejoindre l'homme qu'elle admire, dont elle a décidé qu'elle serait la femme, et dont elle porterait les enfants. La peinture, pour Frida, c'est sans doute avant tout le moyen de cette rencontre, une autre façon, plus forte, plus douloureuse, plus audacieuse encore, de pousser les portes de l'amphithéâtre et de faire irruption dans la vie de celui qu'elle a choisi.

Diego ne peut pas ne pas être séduit par tant d'audace, tant de volonté dans un corps si frêle, si léger, et par cette flamme impérieuse dans le sombre regard qui se fixe sur lui. Il descend lentement de l'échafaudage, il marche vers elle. Il ne la reconnaît pas tout de suite, parce que ces cinq années, passées si vite pour cet homme de quarante-deux ans, ont été longues et lourdes pour Frida, ont changé l'adolescente en femme. Puis, tout à coup, alors qu'elle lui parle de sa peinture, de son désir de vivre la vie d'une artiste, le souvenir s'éclaire : c'est bien elle, la jeune fille piquante, insolente, qui avait défié du regard Lupe Marín, sa compagne d'alors, déjà comme une rivale, qui l'avait provoquée et lui avait tenu tête, au point que Lupe, malgré l'emportement de son caractère, en avait été décontenancée, et n'avait pu s'empêcher de commenter, avec un petit rire qui signifiait sa défaite : « Regarde cette fille ! Petite comme elle est, et elle n'a pas peur d'une femme grande et forte comme moi. »

Peut-être que tout cela a été inventé par Diego, comme un roman de sa propre vie. Mais, cinq ans plus tard, quand Frida le rencontre à nouveau, devant l'échafaudage du ministère de l'Éducation, Lupe Marín glisse hors du monde de Diego. Il veut être libre. Elle le sait, elle sait que maintenant elle peut l'attacher à son regard, qu'elle peut être sienne.

Quand Frida rencontre Diego pour la deuxième fois, en bas de l'échafaudage (ou plus vraisemblablement chez la photographe italienne Tina Modotti, comme Frida elle-même l'a raconté plus tard), Diego est un homme qui a déjà beaucoup vécu. Pesant, gigantesque — Frida se moque de lui en parlant d'« éléphant » —, il a plus du double de son âge (quarante-deux ans !), il a déjà été marié deux fois, il a eu quatre enfants, un fils d'Angelina, Marieka, née de sa maîtresse Marievna — qu'il n'a jamais voulu reconnaître, prétendant qu'elle était la « fille de l'armistice », conçue dans la liesse de la fin de la guerre — et les deux filles de Lupe Marín.

Pourtant, il étonne par son visage enfantin, ce front proéminent et lisse, « un dôme immense », dit Edward Weston dans son journal ; visage où toutes les races sont écrites dans la race cosmique inventée par José Vasconcelos, éclairé par des yeux très grands et excessivement écartés, un air doux et un peu égaré, une réserve qui doit aller jusqu'à la timidité, et, par-dessus tout cela, beaucoup de légèreté. Anita Brenner, pour présenter le peintre muraliste à ses compatriotes new-yorkais, fera de lui un portrait saisissant (« Féroce croisé du pinceau », dans le *New York Times* d'avril 1933) : « Il a, écrit-elle, la douceur et la corpulence de l'Italien, la

langue bien pendue et l'air savant de l'Espagnol, la couleur de peau et les petites mains car-
rées de l'Indien mexicain, le regard vif et intelligent du Juif, les silences du Russe [...] et cette
qualité unique chez lui, un charme généreux,
un esprit onctueux, une façon d'apprivoiser les
idées qui donne à chaque interlocuteur
l'impression qu'il ne s'adresse qu'à lui. » Et elle
ajoute : « Il insiste bien sur le fait qu'il n'a rien
d'un Anglo-Saxon. »

Ce qui frappe tous ceux qui le rencontrent,
c'est ce mélange, l'aspect terrifiant du géant et
la douceur du visage, l'éclat mélancolique du
regard, la petitesse et la fébrilité des mains.
L'homme est une force de la nature, et terriblement séduisant malgré sa laideur. Les femmes
sont attirées par lui, par son succès bien sûr —
le tourbillon autour du peintre, les politiciens,
les intellectuels, et l'argent — mais aussi par ce
reflet qu'elles croient trouver dans son regard,
par sa force physique et la faiblesse de ses sens,
par le pouvoir qu'elles aiment exercer sur lui.
Élie Faure, qui le rencontre brièvement à Montparnasse, après la Grande Guerre, est étonné
par tant de puissance chez un homme aussi
jeune. « Il y a douze ans environ, écrit-il en
1937, j'ai connu à Paris un homme d'une intelligence quasi monstrueuse. C'est ainsi que je
m'imaginais les créateurs des fables qui pullu-
laient, dix siècles avant Homère, sur les rives du

Pindus et dans les îles du Grand Archipel[1]... » Il
ajoute : « mythologue, ou mythomane ». C'est
vrai que Diego Rivera ajoute à l'énormité de son
apparence l'énormité de sa parole. C'est un
menteur, un hâbleur, un inventeur d'histoires,
qui se nourrit d'imaginaire. Frida a peur de lui,
moins à cause des balles perdues de son pistolet
à tirer sur les phonographes[2], que de ce bruit
de paroles et de cette séduction dévorante qui
entourent le peintre et font de lui un monstre
de légende, une sorte de Pantagruel doublé de
Panurge.

Diego se plaît à entretenir les rumeurs les
plus fantastiques. Il a grandi dans la montagne
de Guanajuato, élevé par l'Indienne otomi
Antonia au milieu des forêts. Jeune garçon, il
devient la mascotte des bordels de Guanajuato à
l'âge de six ans, et connaît sa première expérience sexuelle à neuf ans avec une jeune insti-
tutrice de l'école protestante. À dix ans, il fré-
quente l'Académie des beaux-arts de San
Carlos, à Mexico, hanté par le désir de peindre
et par la volonté de réussir.

---

1. Cité in *Rivera, iconografía personal*, FCE, Mexico, 1986
(*Œuvres complètes*, J.-J. Pauvert, Paris, 1964).
2. Frida Kahlo : « En ce temps-là, les gens avaient des pistolets
et s'amusaient à tirer sur les lampes de l'avenue Madero, et à faire
ce genre de bêtises. La nuit, ils cassaient toutes les lampes et
tiraient sur n'importe quoi, juste pour s'amuser. Au cours d'une
soirée chez Tina, Diego avait tiré sur un phonographe et j'ai
commencé à m'intéresser à lui, même s'il me faisait peur » (Hayden Herrera, *Frida, a biography*, New York, 1983, p. 86).

Diego se complaît dans les bruits les plus étranges à son propre sujet. Dans son auto-biographie quelque peu fictive, il raconte son « expérience du cannibalisme ». En 1904, âgé de dix-huit ans, il aurait suivi des cours d'anato-mie à l'école de médecine de Mexico, et aurait convaincu des camarades de faculté de consom-mer de la chair humaine afin de se fortifier — suivant l'exemple farfelu d'un fourreur parisien qui, pour améliorer la qualité de la fourrure des chats qu'il écorchait, leur donnait à manger au préalable de la chair de leurs congénères. Diego ajoute que les morceaux de choix, pour lui, étaient les cuisses et les seins des femmes, et, bien entendu, la cervelle de jeune fille en vinai-grette. Voilà bien une histoire d'ogre, une de ces histoires énormes et invraisemblables que Diego s'amuse à semer autour de lui, surtout à Paris, avec ce regard sombre et ce visage sérieux qui surprenaient tant le critique Élie Faure, pas tout à fait sûr de comprendre l'humour noir à la mexicaine.

S'il affecte de gonfler sa réputation de géant dévoreur de femmes (et de chair humaine), capable de remuer les montagnes, Diego Rivera touche peut-être à quelque chose de plus vrai, de plus significatif quand il parle de son enfance. La mort de son frère jumeau, Carlos, à l'âge d'un an et demi, la longue neurasthénie de sa mère à la suite de ce drame furent à l'origine du report d'affection de Diego sur sa nourrice, l'Indienne Antonia.

On sait peu de chose sur Antonia. Maria del Pilar, la sœur de Diego, mentionne le rôle qu'elle jouait dans la famille Rivera, celui d'une servante dévouée, simple paysanne au langage fruste et au solide bon sens qui emmenait parfois le jeune garçon dans la montagne qui domine Guanajuato, où il jouait avec des bambins de son âge et les animaux de la ferme. Diego en fait un portrait tout différent, empreint d'admiration et de ferveur. Pour lui, l'Indienne Antonia aura été l'un des personnages clés de son enfance. C'est elle qui l'initie au monde indien, si différent et si profond, dont toute sa vie sera marquée. « Je garde un souvenir très vif d'Antonia », raconte-t-il dans son autobiographie. « Une femme grande et calme, âgée d'une vingtaine d'années, elle avait un dos magnifique, son allure était élégante et très droite, ses jambes étaient merveilleusement sculptées, et elle tenait sa tête très haute, comme si elle portait une charge en équilibre. »

Diego garde d'elle une image à la fois onirique et charnelle dont il est resté amoureux toute sa vie, qui a représenté pour lui la force et la beauté pure du monde préhispanique. « Visuellement, ajoute-t-il, elle était pour un artiste l'idéal de la femme indienne classique, et je l'ai souvent peinte de mémoire, dans sa longue robe rouge et son châle bleu. »

Antonia, l'Indienne otomi, portant le costume de la région de Guanajuato, la robe rouge et le châle bleu, fut la véritable initiatrice au monde naturel des Indiens, prodigieuse source à laquelle Diego abreuvera toute son œuvre à venir. Grâce à elle, l'enfance de Diego est celle d'un demi-dieu (ou d'un géant) : il grandit dans les bois, est initié aux pratiques ancestrales de la sorcellerie et de la médecine par les plantes. Il vit librement, avec pour compagne et nourrice une chèvre qu'il tète directement à la mamelle, en contact avec les animaux de la forêt qui deviennent ses amis — « même les plus dangereux et les plus venimeux » —, sorte de réincarnation du jeune Hercule ou du monstrueux bébé Pantagruel. Étrangement, c'est ce souvenir qui compte le plus pour Diego, et la nourrice indienne et la mère-chèvre supplantent dans sa mémoire les acteurs principaux de son enfance, sa mère, ses tantes Cesaria et Vicenta (deux bigotes qu'il bafoue avec plaisir) et sa propre sœur Maria.

En fait, comme beaucoup de solitaires, Diego affirme surtout qu'il n'a pas eu d'enfance et que sa vie commence véritablement avec la peinture. Commence aussi avec la passion amoureuse.

Ce qui étonne Frida, ce qui la séduit avant tout, c'est bien cela : Diego est l'image même de l'homme, archétype dominateur et sensuel,

faible jusqu'à la puérilité devant les femmes,
égoïste et jouisseur, instable et jaloux, un affabulateur, un mythomane, mais aussi incarnation
de la force, de l'ardeur, de la puissance, de la
tendresse d'une innocence presque surnatu-
relle. Diego est le premier à croire à ce personnage mi-réel, mi-fabriqué. Il confond lui-même
précocité artistique et précocité sexuelle, et
entre dans la vie décidé à prendre tout ce qui
pourra être pris : sa place dans le monde artistique, mais aussi les femmes, la gloire, l'argent,
les puissances et les biens terrestres. Il a un
appétit dévorant qui lui tient lieu d'ambition.

C'est cet appétit qui fascine ses maîtres à
l'Académie de San Carlos, José Velazco ou
Rebull, cette volonté de réussir — mais aussi la
force et la vitalité qu'il semble apporter dans
l'apprentissage de l'art. Non sans vanité, Rivera
se souvient de ce nu qu'il avait commencé à dessiner et qui attira l'attention de Rebull. Le vieux
maître lui fit remarquer qu'il avait commencé
son dessin par le mauvais côté, et qu'il ne pourrait l'achever correctement. Puis, au fur et à
mesure que le dessin progressait, toute la classe
s'était attroupée autour d'eux, dans l'attente du
jugement. Et quand Diego eut terminé, Rebull,
après un long silence, conclut : « Pourtant, ce
que vous avez fait est intéressant. Demain matin,
à la première heure, venez me voir dans mon
atelier, et nous parlerons. » Ce que Rebull dit à

Diego répondait justement à ce qu'il cherchait dans la peinture : « L'important, c'est que le mouvement et la vie vous intéressent. » Rebull ajouta : « Il ne faut pas tenir compte de la critique et de la jalousie de vos condisciples. »

Toute la vie future de Diego est là : le mouvement, la vie, et l'indépendance d'esprit. Et ce cercle autour de lui tandis qu'il peint, ce public qui le regarde, qui attend, qui l'envie, et qui fait de lui beaucoup plus qu'un peintre : un acteur, un officiant, un homme de magie et de spectacle.

C'est durant ses premières années d'apprentissage à Mexico que Diego Rivera fait connaissance avec le plus grand dessinateur mexicain de cette fin de siècle, l'homme qui véritablement est à l'origine du renouveau de l'art populaire, et qu'il devait considérer comme son vrai maître, José Guadalupe Posada.

Illustrateur, caricaturiste, graveur de génie — et, de plus, né lui aussi à Guanajuato —, Posada tient à l'époque une boutique de gravure et un atelier de dessin dans le centre de Mexico, non loin de l'Académie des beaux-arts, au 5 de la rue Santa Iñez (aujourd'hui la rue de la Monnaie). C'est là que Diego se rend chaque jour, à chaque moment libre, pour regarder les planches de dessins que Posada met à sécher dans la vitrine de l'atelier. Ce qu'il voit parle à ses sens, l'émeut bien plus que les froides pein

tures académiques qui décorent les murs de San
Carlos : ce sont des scènes de rue, des caricatures d'hommes politiques, de prélats, de généraux, de juges, de femmes du monde et du
demi-monde, qui tiennent à la fois des *Caprices*
de Goya et des charges de Daumier. Mais, aussi,
les illustrations naïves de couplets à la mode,
des ballades, des *corridos* qu'on chante sur les
marchés, à Mexico, à Toluca, à Pachuca. Et surtout, ces gravures qui l'ont rendu célèbre, qui
ont fait de lui le « prophète » de la révolution —
le mot est d'Anita Brenner — les danses
macabres, issues du folklore mexicain, imitées
de ces squelettes et crânes en sucre que les
enfants grignotent pour la fête des morts —
toutes ces images par lesquelles Posada tourne
en dérision la société corrompue du règne de
Porfirio Díaz. Certaines de ces planches sont sur
des papiers de couleur, maladroites et sim-
plistes, mais elles ont la fraîcheur et la force de
ceux qui les regardent, de ces gens du peuple
que Diego a rencontrés à Guanajuato, ouvriers
des mines ou paysans descendus des montagnes,
pour qui les pourvoyeurs de la culture ne sont
pas les bibliothèques ni les cimaises des musées,
mais les *pochtecas*, ces colporteurs indiens qui
vendent les feuilles aux couleurs criardes, et les
chanteurs de *corridos* qui, pour quelques pièces,
chantent les complaintes à la mode.

C'est là, devant la boutique de José Guada-

lupe Posada, que Diego Rivera sent au fond de
lui ce qui grandit et donne un sens à sa vocation
de peintre, son amour pour l'expression populaire, son désir d'exprimer à son tour, comme
l'ont fait les grands artistes de la Renaissance italienne ou les peintres espagnols de l'âge
baroque, les désirs et les inquiétudes d'un
peuple opprimé et exilé de sa propre culture.
Comme il le confessera plus tard à Gladys
March : « C'est lui [Posada] qui m'a révélé la
beauté inhérente au peuple mexicain, ses aspi-
rations et ses combats. Et c'est lui qui m'a ensei-
gné la leçon suprême de tout art — que rien ne
peut s'exprimer sans la puissance du sentiment,
et que l'âme d'un chef-d'œuvre réside dans
cette puissance de l'émotion[1]. »

L'art de Posada, hanté par les squelettes et les
supplices, art de l'enfer et de la damnation, où
les plaisirs et les jouissances du quotidien nous
renvoient mieux à la corruption et au grince-
ment de la mort, est sans doute l'expression la
plus forte de ce Mexique de don Porfirio, où
tout semble suspendu dans la précarité de l'instant. Mexique de la répression armée, de la
menace des guerres d'invasion, de la mémoire
des interventions française et nord-américaine,
Mexique des abus et des bandits de grand chemin, des massacres d'innocents, des fêtes aussi,
des quadrilles et des jeux tandis que grondent

---

1. Diego Rivera, *My Art, my Life, op. cit.*, p. 43.

les insurrections souterraines. Diego, comme Posada, est bien de ce pays où la mort jaillit de la vie à chaque moment.

Dans sa biographie de Diego Rivera, Bertram Wolfe rapporte l'enthousiasme de l'enfant devant les gravures de Posada, qu'il compare aux dessins de Michel-Ange. Dans Posada, Diego trouve la réponse aux deux grandes préoccupations qui orienteront toute sa vie : d'une part, la proclamation de sa « mexicanité » — l'âme créatrice de ce peuple, héritée du passé prodigieux des nations amérindiennes. Comme il le dit à Gladys March, « l'art des Indiens du Mexique prend son génie et sa force dans une vérité intensément locale : il est lié au sol, au paysage, aux choses et aux animaux, aux divinités, aux couleurs de leur monde. Par-dessus tout, il exprime l'émotion qui est en son centre. Façonné par leurs espoirs, leurs craintes, leurs joies, leurs superstitions, leurs souffrances[1] ». Cette revalorisation de l'art indien est certainement le plus profond credo de Rivera, ce qui l'inspire et le guide tout au long de sa création, cette force constante qu'il partagera avec Frida et qui lui permettra de traverser tant d'événements, de résoudre tant de contradictions tout en restant lui-même — et cette force lui vient de la rencontre avec l'art de Posada.

Mais dans les dessins de Posada, Rivera puise

1. Diego Rivera, *My Art, my Life, op. cit.*, p. 43.

une autre conviction : celle de la nécessaire lutte révolutionnaire. Les caricatures de Posada, ses critiques du régime de Porfirio Díaz, sa constante moquerie de la bourgeoisie et de ses grands airs, ses sarcasmes à l'égard du clergé, des militaires, et cette sorte de bal funèbre où toutes les injustices, tous les préjugés et les ridicules d'une société en décomposition se résument dans l'absurde et le dérisoire de la mort, sont véritablement le réservoir où Diego puise son imaginaire de révolte. C'est cette dimension qui restera la sienne, à travers toutes les vicissitudes de la politique : Diego n'est pas né pour être politicien. Ce qu'il découvre aussi dans les planches de Posada, c'est bien cette certitude. Plus tard, dans ses relations avec Trotski, le leader, ou avec Breton, l'aristocrate des lettres, il ressentira le malaise de l'homme confronté à des idées qui lui sont étrangères. Il leur préférera l'esprit de Posada, toujours ce mélange de moquerie et d'ancienne sagesse, la grimace de la mort et le souvenir de la beauté naturelle du peuple indien, la jeune fille aux lis et le squelette vêtu de ses atours de dentelle — tout ce monde qui, au soir de sa vie, se retrouve et se côtoie dans *Le rêve d'un après-midi dominical au parc de l'Alameda,* peint en 1947-48.

L'idée de la révolution, Diego la rencontre dans la réalité, au cours de l'hiver 1906-1907, à Orizaba, dans l'État de Veracruz, quand une

manifestation de *peones* coupeurs de canne est
réprimée dans le sang par l'armée de Porfirio
Díaz. Alors, pour Diego, le choix n'est plus indifférent. Le sang versé sur la terre, dans les
rues d'Orizaba, ne cessera plus de couler, de
nourrir sa passion pour ces *peones* qui sont vraiment le peuple du Mexique, ne cessera pas de
sceller le pacte qui lie désormais le peintre avec
la réalité. Plus rien d'autre n'aura d'importance
pour lui, que ceci : dire la force et la grandeur
des paysans et des ouvriers, et, comme Posada,
montrer au monde la grimace de mort des puissants.

UN SAUVAGE À PARIS

Chacun son tour et chacun à sa façon, Diego et Frida rencontrent, au moment le plus important de leur création, la tentation de l'Occident. Pour Diego, la rencontre sera capitale, captivante ; il passe quatorze ans de sa vie en France et en Espagne, voyage partout, rencontre tous ceux qui sont en train de changer l'art et de créer la peinture moderne. Il se marie, il a un fils, il connaît la vie de bohème, la misère, la guerre, il invente son propre art. Quand il revient au Mexique, c'est chargé d'expérience, auréolé d'une gloire naissante — et acquis aux idées révolutionnaires.

Frida, au contraire, se rend à Paris alors que sa vie et son art ont atteint la maturité. Elle y va à son corps défendant, à l'invitation d'André Breton et des surréalistes qui veulent la rallier à leur bannière défleurie. Elle y reste peu de temps, déteste Paris et le milieu artiste, « *este pinche Paris* » — ce foutu Paris, écrit-elle à ses

amis —, et revient au Mexique convaincue de
l'abîme qui la sépare de l'Europe et des conven-
tionnels de la révolte intellectuelle. Pour elle,
l'Europe — la France particulièrement —, n'est
pas fondamentalement différente de la « *Gringolandia* », qu'elle a connue avec Diego à San
Francisco, à Detroit, à New York. L'absence de
Diego a rendu nul tout bénéfice de l'aventure.

Diego, lui, reste marqué toute sa vie par
l'expérience européenne. À peine sorti de
l'adolescence et de l'Académie de San Carlos, il
décide de partir pour l'Espagne. Pour échapper
à sa famille, pour fuir les difficultés financières
(la fin du règne de don Porfirio n'est pas favorable aux artistes) mais aussi pour se ressourcer,
se mesurer aux grands maîtres de l'art. En 1909,
date du premier voyage, l'art ne s'exporte
guère. Les chefs-d'œuvre des musées ne
voyagent pas, il n'y a pas de reproductions, les
copies sont fades. Pour voir El Greco, Goya,
Velázquez, Raphaël, Rembrandt, Brueghel,
Bosch, Van Eyck ou Michel-Ange, il faut aller
dans les musées. La bourse d'études obtenue
auprès du gouverneur de l'État de Veracruz,
Teodoro A. Dehesa, et les récits faits par le
peintre Murillo (le « docteur » Atl) propulsent
le jeune Diego (il a vingt-trois ans) vers l'Europe
de la Belle Époque et de l'avant-guerre.

L'Espagne, c'est d'abord l'occasion de voir les
grands maîtres, les grands chefs-d'œuvre : à

Madrid, au musée du Prado, les peintures de
Goya, de Velázquez. Diego ressent une telle
admiration pour l'œuvre de Goya qu'il cherche
même à le copier — il voudrait être un faus-
saire ! —, mais doit vite se résoudre à la vérité : il
ne pourra jamais imiter à la perfection. Mais il y
a autre chose. L'Espagne, au début du siècle,
c'est la « terre des contrastes », la juxtaposition
des richesses les plus fabuleuses, l'héritage de
l'empire de Charles Quint et d'Isabel, et de la
plus extrême pauvreté. Dans les paysans d'Estré-
madure et les ouvriers agricoles de Catalogne, il
voit les frères des *peones* de la vallée de Mexico,
des plantations de canne à sucre du Veracruz ou
du Morelos, et les pauvres Indiens maniant le
tlacol, le bâton à planter, du Guerrero ou du
Michoacán. C'est cette rencontre qui marque
son imagination, le rend sensible à la fraternité
des peuples démunis, à cette haine de l'aristocratie espagnole qu'on retrouvera plus tard
dans ses fresques de la Conquête à Chapingo.

Mais l'Espagne ne lui suffit pas. En ces années
1909-10, la capitale internationale de l'art, c'est
Paris. Et le centre de cette capitale, c'est Montparnasse. Muni de son faible viatique, Diego
s'installe là, précisément, à Montparnasse,
d'abord dans une pension, puis dans un atelier
qu'il loue, rue du Départ.

C'est au cours d'un voyage à Bruxelles qu'il
fait la connaissance d'Angelina Beloff, une

jeune Russe au type très pur, longs cheveux très
blonds et yeux très bleus, « douce, sensible,
honnête jusqu'à un point invraisemblable »,
comme il la décrira plus tard, artiste peintre
comme lui. Elle tombe sous le charme de Diego,
et choisit — l'expression qu'il utilisera traduit
bien sa tranquille cruauté — « pour son plus
grand malheur de devenir ma femme légi-
time ». Angelina partage avec lui les enthou-
siasmes et les difficultés de la vie à Paris. Elle
aime à la folie ce jeune peintre, si différent
d'elle-même, ce géant mexicain emporté, violent, parfois si immature, et qui l'éblouit de son
génie sombre et baroque.

Plus tard, Frida ne pourra ignorer cette autre
vie qu'il a connue durant quatorze années à
Paris, cette autre vie qui s'est accomplie au
moment de sa propre naissance. En 1915, alors
que Frida n'est encore qu'une enfant, Angelina
accouche d'un garçon, le seul fils de Diego, qui
meurt peu après. Sans doute pour effacer ce
souvenir, Frida, alors qu'elle n'a pas encore rencontré Diego, décide qu'elle sera la mère de son
fils et l'annonce par bravade à ses camarades de
la Prepa. Il y a tant de fantômes déjà, autour de
Diego.

Mais Paris, c'est aussi l'école de la peinture.
Diego Rivera a raconté le choc qu'il reçut, dès
son arrivée dans la capitale, en découvrant la
peinture de Cézanne exposée dans la vitrine du

marchand Ambroise Vollard : « J'ai commencé à regarder le tableau vers onze heures du matin. À midi, Vollard est sorti pour aller déjeuner en fermant la porte de sa galerie. Quand il est revenu, environ une heure plus tard, et qu'il m'a trouvé encore plongé dans la contemplation du tableau, Vollard m'a jeté un coup d'œil féroce. De son bureau, il me surveillait, me regardant de temps en temps. J'étais si mal habillé qu'il devait penser que j'étais un voleur. Puis, tout à coup, Vollard s'est levé, a pris un autre Cézanne au milieu de sa boutique et l'a placé dans la vitrine à la place du premier. Au bout d'un instant, il a remplacé la seconde toile par une troisième. Puis il a apporté successivement trois autres Cézanne. Maintenant, la nuit tombait. Vollard a allumé les lampes dans la vitrine et a placé un autre Cézanne. [...] Finalement, il est venu sur le seuil, et il a crié : "Vous comprenez, je n'en ai plus !" » Diego ajoute que, rentrant chez lui à deux heures et demie du matin, il fut pris de fièvre et de délire, dus à la fois au froid des rues de Paris et au choc des tableaux de Cézanne.

Entre ses deux séjours à Paris, Diego Rivera, de retour au pays natal, est témoin de l'un des événements les plus importants de l'histoire moderne — la Révolution mexicaine de 1910, qui fut la mère de toutes les révolutions popu-

laires. C'est l'année que Frida choisira plus tard
comme année de sa naissance (en réalité, elle
était alors déjà âgée de trois ans). La Révolution
avança à la vitesse de l'éclair, et laissa en dehors
tous ceux qu'elle n'avait pas consumés : sympathisants, artistes, intellectuels, pour la plupart
issus de la bourgeoisie. L'épopée révolutionnaire avec Francisco Villa et Emiliano Zapata,
les *caudillos* issus du peuple, ne laisse pas indif-
férents Diego Rivera, ni son ami José Vasconcelos. Mais ils ne peuvent y prendre part, et
lorsque l'ordre revient, sous la présidence de
Francisco I. Madero, ils ont le sentiment que
peu de chose a changé. De là où ils sont — dans
une position de privilégiés — ils ne peuvent per-
cevoir véritablement la puissance du choc qui
vient de bouleverser la société mexicaine et
dont l'onde va parcourir le reste du monde. La
chute du vieil autocrate Porfirio Díaz, exilé à
Paris, peut alors leur sembler un événement
sans grandes conséquences, et il faudra les dix
années de mûrissement parisien pour que le
peintre comprenne le rôle que la Révolution a
joué dans son pays, et le rôle qu'il doit jouer
dans cette Révolution.

Frida, elle, n'aura nul besoin de cette matura-
tion. Elle appartient à la génération qui est née
avec la Révolution et a grandi avec elle. Les
idées nouvelles, elle les porte dans sa chair, dans
ses sentiments. C'est aussi pourquoi Diego lui

apparaîtra comme une sorte de héros de légende, lui qui a tout vu, qui était dans les rues de Mexico quand les paysans en pyjama blanc armés de machettes défilaient avec Zapata, lui qui a connu les révolutionnaires russes, qui a rencontré Staline !

Paris, dans l'hiver de 1911, quand Diego débarque pour la seconde fois, est aussi la ville de la révolution, non d'une révolution sociale, mais du plus grand bouleversement qu'ait connu l'histoire de l'art, quand sont en train de se construire symétriquement les fondations du modernisme en peinture, en architecture, en musique, en poésie, en littérature : l'anarchisme esthétique du mouvement dada, qui prépare le courant surréaliste, et les nouvelles idées de la peinture, qui tournent autour de l'art provocateur et visionnaire de Pablo Picasso.

Le choc reçu par Diego Rivera en 1910, lorsqu'il rencontre pour la première fois la peinture de Cézanne, le conduit à cette recherche, à cet approfondissement. Dès son retour, il fait siennes les théories esthétiques du « cubisme », et dans son atelier de la rue du Départ, il produit tableaux sur tableaux, animé par cette nouvelle fièvre. En peignant, Diego exorcise ses démons. Il le faut : le Mexique, au lendemain de la Révolution, est un chaos où l'art n'a pas encore sa place. Le cubisme, c'est sa façon à lui de faire la révolution. La peinture classique espagnole, celle qu'il a apprise à San Carlos ou à Tolède, sous l'influence de l'œuvre du Greco, est brisée et jetée à terre par les distorsions et les blasphèmes du cubisme. Le mouvement est bien, comme le dit Diego lui-même, un mouvement révolutionnaire «qui ne respecte rien[1]».

En 1914, Diego réalise même son vœu le plus cher. Il rencontre Pablo Picasso, dans son atelier, accompagné de Foujita et de Kawashima. À partir de cet instant, Diego Rivera fait partie du petit groupe turbulent qui a marqué les années de l'avant-guerre. Avec lui, à Montparnasse, on retrouve les peintres à la recherche d'un art nouveau, Picabia, Juan Gris, Braque, Modigliani. Rivera, qui est pour une part d'origine juive (sa grand-mère paternelle, Ynez Acosta, est d'ascendance juive portugaise), ressent des affinités particulières avec les artistes juifs émigrés, Soutine, Kisling, Max Jacob, Ilya Ehrenbourg (qui prendra Diego Rivera comme modèle pour son personnage de *Julio Jurenito*, prince de la bohème, génial, hâbleur et menteur) et, bien entendu, Pablo Picasso. Mais c'est avec Amedeo Modigliani qu'il vit une amitié turbulente, excentrique, faite de camaraderie, de beuveries et de querelles. Diego et Angelina partagent même un certain temps leur studio de la rue du

---

1. Diego Rivera, *op. cit.*, p. 103.

Départ avec Amedeo et sa maîtresse Jeanne
Hébuterne, au creux de la misère[1].

Avec le commencement de la guerre, la
bourse versée par le gouvernement mexicain
cesse d'arriver, et Diego, comme Modigliani,
comme tant d'autres artistes pris au piège du
Paris glacé de la guerre, doit vivre d'expédients
dans son atelier sans chauffage. Ce sont des
années troubles durant lesquelles Diego, pris
dans le tourbillon de la bohème parisienne,
révèle son personnage de « cannibale », de
dévoreur de femmes. Avec Marievna Vorobera-
Stebelska, une jeune femme amie d'Angelina
Beloff, Russe comme elle, blonde et fragile
d'aspect mais douée d'une volonté et d'une
ambition peu communes, il vit une passion
anarchique et tumultueuse dont elle gardera un
enfant, une fille appelée Marieka, l'« enfant de
l'armistice ». Le souvenir qu'il garde, lui, de
cette passion chaotique, c'est deux croquis pris
sur le vif, avec ses amis de Montparnasse (Modigliani, Soutine, Picasso, Ehrenbourg) — et la
cicatrice laissée sur sa nuque par un coup de
couteau reçu de Marievna au moment de la rupture.

Il peut alors rester longtemps sans travailler,
préoccupé seulement par cette vie extérieure,
par les intrigues sentimentales, par la survie au
jour le jour. Ces années chaotiques et sombres

---

1. Olivier Debroise, *Diego de Montparnasse*, SEP, Mexico, 1985.

resteront gravées en lui. Ce sont elles qui l'enra-
cinent dans sa quête de l'art, parce qu'il ne peut
y avoir alors d'autre accomplissement. L'art,
pour Diego comme pour Modigliani, n'est pas
un luxe ni une illustration. L'art est déjà toute
sa vie, et pour l'art il sacrifie la vie des autres, la
poursuite du bonheur, toutes les réalisations
terrestres.

Fin 1918, peu après l'armistice, Diego perd
son fils Dieguito, décédé des suites d'une
méningite aggravée par la misère de la guerre[1].

Tout le reste de son existence il portera cette
brisure comme une cicatrice secrète. Malgré
l'amour d'Angelina, malgré l'amitié dont
l'entourent ceux que le géant débonnaire, le
timide ogre a séduits, il comprend que l'expérience parisienne est finie, qu'il doit partir,
chercher ailleurs.

La rencontre avec le grand Élie Faure est sans
doute déterminante dans sa décision. Comme le
souligne Bertram Wolfe, c'est Élie Faure qui lui
fait prendre conscience de sa propre vérité, de
sa destination. L'artiste, explique-t-il, n'est pas
solitaire. Il exprime un langage universel, et
pour atteindre cette universalité, il doit être

---

1. Guadalupe Rivera Marín, la fille de Diego et de Lupe Marín
(*Un río dos Riveras*, Mexico, 1989), raconte qu'un jour, alors
qu'elle était encore adolescente, son père lui dit : « Aujourd'hui,
mon fils aurait trente-cinq ans. » Et il lui raconta comment Dieguito était mort, parce qu'ils n'avaient pas de quoi acheter du
charbon pour se chauffer.

porté par le peuple tout entier. L'aristocrate esthète a sans doute perçu la force profonde et le génie de Diego Rivera, cette impulsion, cette sauvagerie qui restent en lui malgré l'expérience intellectuelle de Montparnasse, cette force presque monstrueuse, qui effraie tous ceux qui l'approchent.

Ce qu'Élie Faure dit à Diego, Diego le sait déjà : il n'appartient pas à l'Occident, et le Paris de l'après-guerre ne peut plus le garder. Alors il plaque tout. Il s'embarque pour un retour définitif au pays natal, habité d'une fureur de peindre, d'un désir de se retrouver qui l'empêchent de penser au désastre dans lequel Angelina va sombrer.

En Italie, il a vu les fresques de Michel-Ange, les peintures du Tintoret, les chefs-d'œuvre de l'art étrusque, Pæstum, la Sicile, ces œuvres capables de « vous tordre les tripes ». Il a compris que là était sa peinture, sur les murs des maisons de la nouvelle révolution, pour les yeux du peuple qui s'est battu dans les rues et sur la terre, et non dans les salons des ateliers enfumés de Montparnasse. À son ami Alfonso Reyes, le 19 mai 1921, il écrit : « Ce voyage marque pour moi le commencement d'une nouvelle période de ma vie. [...] Ici, il n'y a pas de différence entre la vie des gens et l'œuvre d'art. Les fresques ne s'arrêtent pas à la porte des églises, elles vivent aussi dans les rues, dans les maisons, partout où se porte le regard tout est familier, populaire. [...] Les aciéries, les mines, les arsenaux s'harmonisent à merveille avec les temples, les clochers, les palais. En Sicile, les frontons sont le portrait des collines, et les maisons des villages sont construites par de simples maçons avec le même sens de l'harmonie [1]. »

La Révolution russe de 1917, dont ses amis lui ont apporté l'écho, l'a convaincu que les temps nouveaux sont en marche. Tout à coup, c'est de cette fièvre qu'il brûle, de cet appétit qu'il dévore. Il n'a plus rien à apprendre de l'Europe aux anciens parapets, cette Europe qui s'est consumée dans une guerre insensée qui a dévoré son propre fils. Il a tout à prendre de l'autre côté des mers, dans ce Mexique qu'il ne connaît pas encore, et qui l'attend. La chute de Venustiano Carranza, qui avait confisqué la Révolution mexicaine au profit des grands propriétaires, et l'arrivée au pouvoir d'Alvaro Obregón, représentant de la classe populaire, permettaient ce retour.

Quand Diego Rivera touche à nouveau la terre du Mexique à Veracruz, en 1921, Frida Kahlo a tout juste quatorze ans, et en paraît douze. La légende de Diego est parvenue

---

1. Claude Fell, « Diego Rivera et les débuts du muralisme mexicain », *Études mexicaines*, n° 7, Perpignan, 1984.

jusqu'à elle par les journaux, par les commentaires des élèves de la Preparatoria. Plutôt qu'une légende, une réputation de libertin et d'anarchiste. Diego Rivera a séduit et effrayé les gens de l'autre côté de la mer, ces Français orgueilleux qui ont jadis tenté de soumettre le Mexique et que les forces populaires de Benito Juárez ont vaincus à Puebla, le 5 mai 1857. Le peintre les a fascinés par son art, les a abasourdis par sa faconde. Il est le héros du moment. Justement, son ami José Vasconcelos, revenu lui aussi d'Europe, vient d'être chargé par le gouvernement d'Alvaro Obregón d'organiser la culture au Mexique.

Quelques années auparavant, en 1910, sous Porfirio Díaz, deux peintres ont déjà essayé de renouveler l'art : le « docteur Atl » et Manuel Orozco ont voulu peindre des fresques sur les murs de l'amphithéâtre de l'École préparatoire nationale — mais le vieux dictateur n'avait guère de goût pour l'art populaire.

Lorsque Vasconcelos décide de reprendre le projet, il écarte les deux peintres, qu'il juge trop classiques, et c'est à l'iconoclaste, au « cannibale » Rivera qu'il s'adresse. La fièvre, la violence de ses instincts, son énorme capacité de travail parlent déjà plus haut que les autres. Et c'est autour de lui que se fait le mouvement muraliste, comme la révolution cubiste s'était faite autour de Picasso. Les grands noms de l'art mexicain se retrouvent auprès de lui pour cette conquête de l'espace populaire : Gerardo Murillo, Jorge Enciso, Siqueiros, Jean Charlot (d'origine française), Fermin Revueltas, Monte-negro, Xavier Guerrero, le Guatémaltèque Carlos Mérida, Rufino Tamayo. Diego est le premier à comprendre le sens de la révolution picturale qui doit suivre et nécessairement soutenir l'héroïsme de la révolution politique qui vient de se réaliser. Son voyage aux Chiapas et au Yucatán, à l'occasion du centenaire de l'Indépendance et du premier Congrès international des étudiants, lui a révélé l'extraordinaire puissance de l'art maya. Les fresques du temple des Jaguars, à Chichen Itza, le convainquent de la nécessité d'écrire sur les murs de la modernité la religion de l'histoire de la libération des hommes.

De retour à Mexico, il est le véritable chef d'orchestre de l'œuvre gigantesque parrainée par Vasconcelos : pour les fresques de la Preparatoria, il fait tout lui-même, oblige ses aides à broyer les couleurs, à préparer les fonds à la chaux, à mélanger la peinture avec la résine du copal et à les fixer au moyen de la sève du nopal.

Il est véritablement le géant au travail, le seul dont la force physique et la volonté dépassent toutes les autres et lui permettent ce travail démesuré. Si sa mauvaise réputation de libertin et de « sauvage » l'a précédé, ici, c'est au travail, debout sur l'échafaudage de l'École prépara- toire ou dans l'atelier du collège de San Ilde- fonso, que la légende du génie Rivera prend naissance et éblouit pour la première fois une jeune fille fragile au regard décidé nommée Frida Kahlo.

FRIDA : « UN VRAI DÉMON »

Quand Diego Rivera rencontre Frida pour la première fois — si on excepte la scène de provocation de l'adolescente dans l'amphithéâtre de l'École préparatoire —, il est frappé par le contraste entre la minceur du corps et la beauté inquiète du visage, et ce regard sombre, brillant, tendu, qui le fixe et l'interroge avec la sincérité intimidante de l'enfance.

Frida ne ressemble à aucune des femmes qu'il a connues. Chez elle, il n'y a rien de la pâleur slave d'Angelina, cette auréole bleutée et intérieure, ni de la hardiesse de Marievna, ni de la sensualité et de la violence de Lupe Marín. Elle n'appartient ni à la distante Europe, ni à l'aristocratie *tapatia* qui a entouré la jeunesse de Lupe à Guadalajara, et elle ne montre pas la froide détermination qui se lit sur le visage de madone de Tina Modotti. Elle est un peu comme Diego lui-même, une fille de la race cosmique de Vasconcelos, mélange étrange de la

gaieté insouciante des Indiens et de la douleur
métisse, avec, en plus, cette inquiétude et cette
sensualité juives qui lui viennent de son père.
Tout cela, qu'il reconnaît au premier regard, et
qui l'attire, comme l'attire aussi la très grande
jeunesse de Frida.

Mais ce qu'il découvre alors en apprenant à
mieux la connaître, au cours des visites qu'il
fait, comme un fiancé à l'ancienne mode,
chaque semaine dans la maison des Kahlo, à
Coyoacán, c'est la terrible expérience de la vie
qui se cache sous ces apparences de jeune fille
fragile. Frida ne parle pas beaucoup de son
passé, elle se livre peu. Elle a, par-dessus tout, la
qualité inhérente aux femmes mexicaines de sa
classe, une très grande réserve dans l'extériori-
sation de ses sentiments, une sorte d'humour
grinçant qui est aussi celui de Diego — un
juron, voire une obscénité valent mieux que
n'importe quel trémolo. Elle peint, et ce que
Diego perçoit dans sa peinture le fascine et le
bouleverse. Toutes ses désillusions, tous ses
drames, cette immense souffrance qui se
confond avec la vie de Frida, tout est exposé là,
dans sa peinture, avec une impudeur tranquille
et une indépendance d'esprit exceptionnelles.

Sous son allure désinvolte et ses dehors de
jeune fille amoureuse, Frida cache une expérience de la douleur hors de la commune
mesure. Toute sa vie est faite d'expériences dif-

ficiles. Née en 1907 dans une famille désargentée, elle comprend vite qu'elle aura peu à
attendre. Son père, Guillermo, a une vie difficile. Photographe officiel au temps de Porfirio
Díaz, la révolution l'a laissé sans argent, sans
avenir, vivant d'expédients — un studio de photographe dans le centre de Mexico, où il tire le
portrait des communiantes et des nouveaux
mariés devant une grande draperie poussiéreuse. C'est Matilde Calderón, la mère de Frida,
qui doit s'occuper de faire subsister le ménage
en vendant leurs objets et leurs meubles, en
louant des chambres à des célibataires de passage, en économisant sur des bouts de ficelle.
Cette mère, issue du mariage entre Isabel, fille
d'un général espagnol, et Antonio Calderón,
photographe d'origine tarasque du Michoacán,
semble avoir tenu peu de place dans la vie affective de Frida : trop pieuse, jusqu'à la bigoterie, à
la fois dure et effacée, elle tient le mauvais rôle
à côté de Guillermo, si artiste, si fragile, si irréaliste. Elle, si jolie, si vive dans sa jeunesse, est
devenue, pour protéger sa famille, autoritaire et
sévère. « *Mi jefe* », dit d'elle Frida (« mon
patron »). Comme Diego, elle a connu l'abandon maternel dans sa petite enfance : Matilde
Calderón, épuisée par ses grossesses successives,
à la naissance de Cristina (un an après Frida)
sombre dans la dépression et ne peut plus
s'occuper des deux bébés. La nourrice qui

allaite Frida est le pendant de l'Antonia de
Diego, la mère indienne. Plus tard, le peintre en
fera un portrait imaginaire, sous les traits d'une
déesse indienne masquée, laissant couler de ses
seins le lait cosmique. Pourtant, c'est sans aucun
doute de Matilde Calderón que Frida tient ce
qui la distingue des autres filles de sa classe,
cette énergie, ce regard brillant et sa dévotion
presque religieuse à l'idéal révolutionnaire.

Son père, si fragile et rêveur, est l'homme-
enfant que Frida cherchera toute sa vie. Il est
sujet aux « vertiges », comme dit pudiquement
Frida quand elle parle de lui. En fait, il est
atteint d'épilepsie, et la petite fille apprend très
tôt à s'occuper de lui quand il tombe en crise en
pleine rue. Elle l'étend sur le sol, desserre ses
habits, et elle tient dans ses mains son appareil
photo pour qu'un voleur ne profite pas de
l'occasion ! Frida est la préférée de Guillermo,
celle qu'il a élue parmi ses six filles, et Frida
adore son père malgré sa faiblesse, ou peut-être
à cause de sa fragilité. En 1952, après sa mort,
elle peindra un portrait pieux à la manière des
photos qu'il prenait lui-même, figé dans son
beau costume, ses yeux pâles exprimant son
inquiétude, le visage barré par une moustache si
noire et si épaisse qu'elle semble postiche ; le
fond du tableau, d'un jaune passé qui évoque
les tapisseries du studio de la rue Madero, est
étrangement décoré d'ovules et de spermato-

zoïdes dans lesquels Frida visualise l'instant de sa conception. La dédicace, au bas du tableau, est un acte d'amour : « J'ai peint mon père, Wilhelm Kahlo, d'origine germano-hongroise, artiste et photographe de profession, de caractère généreux, intelligent, bon et courageux, car il souffrit durant soixante ans d'une épilepsie sans jamais cesser de travailler, et il lutta contre Hitler. Avec adoration. Sa fille Frida Kahlo. »

La souffrance intervient très tôt dans l'existence de Frida. En 1913, à l'âge de six ans, elle est atteinte d'une poliomyélite qui la laisse infirme de la jambe gauche ; sa jambe atrophiée sera source de douleurs et de complexes qui dureront toute sa vie. Toute sa vie, elle gardera honte de cette jambe trop maigre qui évoque pour elle les dessins de Posada ou le dieu aztèque de la guerre, Huitzilopochtli, né lui aussi avec une jambe squelettique. Dans ses tableaux, elle cache le plus souvent son infirmité, et dans le seul nu d'elle, dessiné par Diego en 1930, elle est assise dans un fauteuil, sa jambe malade croisée sous l'autre, dans une attitude de pudeur maladroite.

Une photo de famille, prise peu après sa guérison, montre déjà l'isolement dans lequel la plonge la douleur. La petite fille au visage sérieux se tient debout sous le balcon de la maison de Coyoacán, à l'écart du groupe familial, le

bas du corps à demi caché par les massifs de
plantes. C'est l'époque où elle comprend
qu'elle ne sera jamais vraiment comme les
autres, et les filles et garçons du voisinage se
moquent de l'infirme avec la cruauté instinctive
de l'enfance : quand elle circulait à bicyclette, se
souvient Aurora Reyes, chaussée de ses bottes
montantes dont elle ne voudra plus se séparer,
« on lui criait : *Frida, pata de palo* » (Frida, jambe
de bois[1]). Toute son adolescence se passe dans
cette solitude. Sa seule amie véritable est sa
sœur, Matita, mais c'est aussi à ce moment-là
qu'elle quitte la maison familiale pour ne plus
jamais y revenir. Âgée de sept ans, Frida est
complice de sa fugue, et en ressent une telle
culpabilité qu'elle passera une grande partie de
sa jeunesse à chercher à la retrouver. Matita ne
recevra le pardon familial que longtemps après,
quand Frida aura vingt ans — et elle-même
vingt-sept.

La souffrance d'être différente est la véritable
formation de Frida. Elle ne songe guère à
peindre à ce moment-là. Mais elle vit dans un
monde de fantaisie et de rêves, où elle trouve
une compensation à sa solitude en faisant apparaître à volonté, sur la fenêtre de sa chambre,
une autre Frida, son double, sa sœur : « Sur la
buée des vitres, avec un doigt, je dessinais une
porte, écrit-elle dans son Journal, et par cette

1. In Hayden Herrera, *op. cit.*, p. 15.

porte je m'échappais par l'imagination avec une grande joie et un sentiment de hâte. J'allais jusqu'à une laiterie appelée Pinzón. Je traversais le "O" de Pinzón, et de là je descendais vers le centre de la terre où "mon amie imaginaire" m'attendait toujours. Je ne me souviens plus de son image, ni de la couleur de ses cheveux. Mais je sais qu'elle était gaie, qu'elle riait beaucoup. Sans bruit. Elle était agile et elle dansait comme si elle ne pesait rien. Je l'accompagnais dans sa danse, et en même temps je lui racontais tous mes secrets... »

Frida ne se séparera jamais de son double. Dans un tableau de 1939 intitulé *Les Deux Frida*, deux sœurs siamoises assises côte à côte se tiennent par la main, leurs deux cœurs apparents unis par la même artère. L'infirmité progressive, l'enfermement dans la solitude de la douleur ont transformé le rêve d'enfant en fantasme, et donné une valeur presque mythique à cette autre elle-même qu'elle scrute indéfiniment dans son miroir.

Ce qui étonne dans la destinée de Frida, c'est l'absolu irrationnel de tout ce qui la touche. Contrairement à Diego Rivera, rien ne la prédispose à devenir elle-même peintre. Elle est certes éduquée par son père dans le goût de l'art, et, dès le collège, elle se passionne pour ces jeunes créateurs du Mexique nouveau qui brûlent de se faire reconnaître. À la Preparatoria, elle fait partie d'un groupe d'étudiants turbulents et bavards qui s'est donné comme signe de ralliement la casquette, et porte le nom de *Cachuchas*. Le groupe admire le révolutionnaire José Vasconcelos et s'occupe surtout de littérature : il y a Miguel Lira, que Frida a surnommé Chong Lee à cause de son goût pour la poésie chinoise, le musicien Angel Salas, l'écrivain Octavio Bustamante. Il y a surtout Alejandro Gómez Arias, étudiant en droit et journaliste, qui est le chef spirituel et l'inspirateur des *Cachuchas* — et dont Frida tombe amoureuse. Ils ont des rendez-vous de collégiens à la sortie de l'école de droit, elle va avec lui à des réceptions, à des *posadas*, au bal, elle lui écrit des lettres pleines de sous-entendus, sur un ton mi-blagueur mi-passionné, elle l'appelle son *novio*, et elle se dit « sa femme », voire son *escuincla* (sa chienne). Elle joue à la passion, et sans doute se prend-elle au jeu. La société bourgeoise mexicaine, dans les années 20, n'est pas très permissive, — Dolores Olmedo rappelle, dans sa préface à l'exposition Frida Kahlo de Paris, qu'en 1922 « peu de femmes avaient accès à l'Université » et que Frida fut « une des trente-cinq premières femmes à poursuivre ses études parmi deux mille étudiants[1] ». Le tempérament emporté, instinctif de la jeune fille a du mal à accepter le cadre conventionnel de cet amour de lycéens.

1. Dolores Olmedo, *Frida revient à Paris*, Paris, 1992, p. 11.

Frida rêve d'être ailleurs, d'être libre. Le 1ᵉʳ janvier 1925 elle envoie à Alejandro une lettre dans
laquelle elle envisage de partir avec lui pour les
États-Unis : « Il faut que nous fassions quelque
chose de notre vie, tu ne crois pas ? Autrement
nous resterons toujours des nullités si nous pas-
sons toute notre vie au Mexique, et puis, pour
moi, il n'y a rien de plus beau que de voyager, et
ça m'enrage de penser que je n'ai pas assez de
force de volonté pour faire ce dont je te parle,
mais tu diras que ce n'est pas seulement la force
de la volonté, mais aussi la force du fric, mais on
peut gagner du fric en travaillant pendant un
an, et alors, pour le reste, tout irait bien. Mais
comme la vérité c'est que je n'y connais pas
grand-chose, il faudrait que tu me dises les avan-
tages et les inconvénients, et si c'est vrai que les
gringos sont très désagréables. Parce que, tu vois,
tout ce que j'ai écrit, depuis l'astérisque jusqu'à
cette ligne, ça n'est que châteaux en Espagne et
il vaudrait mieux m'enlever tout de suite mes
illusions[1]... »

Mais Frida n'est pas sa sœur aînée Matita, elle
n'a pas assez de détermination ni de détache-
ment pour abandonner ses parents, se lancer à
l'aventure, et Alejandro Gómez Arias, lui, n'a
rien d'un aventurier. La relation qu'il entretient
avec cette collégienne turbulente et sentimen-
tale est faite de protection et de réserve. Il joue

1. In Hayden Herrera, *op. cit.*, pp. 41-42.

auprès d'elle le rôle du grand frère que Frida
n'a jamais eu, à la fois complice et censeur.
Pour Alejandro, Frida est une petite fille — *mi
niña de la Preparatoria*; quelquefois, quand elle
est trop sensible, une *lagrimilla*, une pleurni-
charde. Elle est un étrange mélange de sensualité et d'idéal, mêle allusions sexuelles (ce
triangle isocèle dont elle se sert pour signer ses
lettres, et qui évoque clairement le pubis) et
élans mystiques. Elle est alors encore loin de
l'engagement révolutionnaire. Le 16 janvier
1924, elle envoie une lettre exaltée à Alejandro :
« La personne pour qui j'ai prié le plus est Maty
ma sœur, et comme le prêtre la connaît, il dit
qu'il va beaucoup prier pour elle. J'ai aussi prié
le Bon Dieu et la Vierge pour que tout aille bien
pour toi, et que tu m'aimes toujours, et j'ai aussi
prié pour ta mère et ta petite sœur[1]. » La foi
religieuse que Frida a reçue de sa mère est
encore très vive. Au cours de son existence,
Frida gardera cette même exaltation mystique,
et les grands héros de la Révolution, Karl Marx,
Lénine, Zapata, Mao et Staline viendront tout
naturellement occuper dans son esprit la place
des saints.

Un événement terrible va changer tout le
cours de la vie de Frida et l'enfermer à jamais

---

1. In Hayden Herrera, *op. cit.*, p. 40.

dans la solitude et la malédiction de la douleur, où l'art deviendra sa seule issue.

Le 17 septembre 1925 (elle est alors âgée d'un peu moins de dix-huit ans), Frida monte avec Alejandro dans un de ces nouveaux autobus qui commencent à sillonner la capitale de la place centrale du Zocalo jusqu'à Coyoacán, et qui ont la faveur du public parce qu'ils vont beaucoup plus vite que les tramways. À l'angle de la rue Cinco de Mayo et de Cuauhtemotzin, vers le marché de San Juán, l'autobus est pris en écharpe par un tramway.

Frida a raconté plus tard comment elle a vécu l'accident : « C'est juste après que nous sommes montés dans l'autobus que la collision s'est produite. Avant, nous avions pris un autre autobus, mais comme j'avais perdu une ombrelle, nous sommes descendus pour la chercher, et, pour cette raison, nous sommes montés dans cet autre autobus qui m'a mise en morceaux. L'accident a eu lieu à un coin de rue, exactement en face du marché San Juán. Le tramway allait lentement, mais le chauffeur de notre autobus était jeune et très impatient. Le tramway, en tournant, a coincé l'autobus contre le mur.

« J'étais alors une jeune fille intelligente mais sans expérience, malgré la liberté que j'avais acquise. Peut-être à cause de cela, je n'ai pas compris la situation, je ne me suis pas rendu compte du genre de blessures que j'avais subies. La première chose à laquelle j'ai pensé, ç'a été à un joli bilboquet multicolore que j'avais acheté ce jour-là et que je transportais avec moi. J'ai essayé de le retrouver, croyant que cet accident serait sans grandes conséquences.

« Ce n'est pas vrai qu'on se rende compte du choc, ce n'est pas vrai qu'on pleure. Je n'ai pas eu de larmes. Le choc nous a projetés en avant, et une des rampes du bus m'a traversée comme l'épée traverse un taureau. Un passant, voyant que j'avais une terrible hémorragie, m'a portée et m'a déposée sur une table de billard où la Croix-Rouge s'est occupée de moi.

« C'est comme cela que j'ai perdu ma virginité. Mon rein était endommagé, je ne pouvais plus uriner, mais ce qui me faisait le plus souffrir, c'était la colonne vertébrale. Personne n'avait l'air de s'inquiéter. Et puis, on ne faisait pas de radios. Je me suis assise comme j'ai pu et j'ai dit aux gens de la Croix-Rouge d'appeler ma famille. Matilde apprit la nouvelle par les journaux et fut la première à venir me voir ; elle ne m'abandonna pas pendant trois mois, jour et nuit à mes côtés. Ma mère ne se manifesta pas pendant un mois, à cause du choc, et ne vint pas me voir. Quand ma sœur Adriana apprit la nouvelle, elle s'évanouit. Et mon père en fut si attristé qu'il en tomba malade et je ne pus le voir que vingt jours après[1]. »

Le résultat de l'accident est terrifiant, et la plupart des médecins qui examinent Frida sont stupéfaits qu'elle soit encore en vie : sa colonne vertébrale est brisée en trois endroits dans la région lombaire ; le col du fémur est rompu, ainsi que les côtes ; sur sa jambe gauche, il y a onze fractures, et son pied droit est écrasé et disloqué ; son épaule gauche est démise, l'os pelvien brisé en trois. La rampe d'acier du bus lui a transpercé le ventre, pénétrant par le flanc gauche et ressortant par le vagin.

Mais la résistance de Frida, sa vitalité sont exceptionnelles. Elle survit à l'accident et au désespoir qui s'ensuit. Les souffrances qu'elle endure à l'hôpital sont insupportables :

« J'ai mal, tu ne peux pas savoir à quel point, écrit-elle à Alejandro un mois après, et chaque fois qu'on me tire sur mon lit, je verse des litres de larmes, mais, bien sûr, comme on dit, aux cris des chiens et aux larmes des femmes il ne faut pas se fier. »

Dans la moquerie et l'humour noir, Frida trouve l'incroyable énergie de surmonter le désespoir et la douleur. Elle écrit, elle lit, elle plaisante interminablement avec Matilde. Elle apprend le sens de l'expression mexicaine

---

1. In Raquel Tibol, *Frida Kahlo, una vida abierta*, Mexico, 1983, p. 40.

aguantar, « supporter la douleur ». 5 décembre 1925 : « La seule bonne chose, c'est que, maintenant, je commence à m'habituer à souffrir. »

Sortie de l'hôpital de la Croix-Rouge, elle retrouve la maison de Coyoacán où elle doit rester clouée au lit. Alors elle décide de peindre. C'est de sa souffrance et de sa solitude que naît cette volonté. À sa mère, elle annonce sa décision : « Je ne suis pas morte et, de plus, j'ai une raison de vivre. Cette raison, c'est la peinture. » Sa mère fait construire une sorte de baldaquin au-dessus de sa couche et, en guise de ciel de lit, elle fait monter un grand miroir pour que la jeune fille puisse se voir et devenir son propre modèle. C'est ce lit et ce miroir qui accompagneront Frida dans toute son œuvre, comme une autre façon de passer à travers le « O » de Pinzón, par la porte dessinée sur la buée du carreau, et de retrouver l'autre Frida, celle qui danse toujours, si gaie et si légère, et qui partage ses secrets.

Désormais, la peinture, l'humour noir, la solitude composent la destinée de cette jeune fille auparavant si fantasque et si moqueuse, et qui rêvait de devenir « une navigatrice, ou une grande voyageuse ». Solitude d'autant plus profonde qu'Alejandro, son fiancé, l'a quittée pour aller étudier en Allemagne, si loin que les lettres mettent des mois. L'exil d'Alejandro n'est pas fortuit : ses parents voient d'un mauvais œil sa relation avec une jeune fille aussi dévergondée, insolente, et qui, de surcroît, est en train de devenir infirme.

Maintenant, Frida a pu mesurer la gravité de l'accident qui l'a éventrée : elle sait qu'elle ne pourra jamais avoir d'enfant, les médecins le lui ont dit. En 1926, elle rédige un faire-part plein d'une sombre dérision :

LEONARDO
est né à la Croix-Rouge en l'an de grâce
1925, le mois de septembre, et fut baptisé
dans la ville de Coyoacán l'année suivante.
Sa mère fut
Frida Kahlo,
Isabel Campos
et Alejandro Gómez Arias
ses parrains.

Désormais, elle doit combattre seule le cauchemar de sa destinée brisée. Parfois, elle succombe au désespoir. À Alicia Gómez Arias (sœur d'Alejandro), elle écrit, le 30 mars 1927 : « Je vous en prie, ne m'en veuillez pas si je ne vous invite pas à venir chez moi, mais d'abord je ne suis pas sûre qu'Alejandro serait d'accord, et ensuite vous ne pouvez pas vous imaginer comme cette maison est horrible, et comme j'aurais honte que vous veniez ici, mais je voulais vous assurer que, bien au contraire, j'en aurais grande envie... » Et le 6 avril : « Si cela continue

comme cela pour moi, il vaudrait mieux qu'on
m'élimine de la planète... » Et à Alejandro, le
25 : « Hier je me sentais si mal et si triste, tu ne
peux pas imaginer le désespoir qu'on éprouve à
être malade ainsi, je sens un malaise terrible
que je ne peux expliquer, et en plus, quelquefois une douleur que rien ne peut calmer
[...]. Oui, c'est moi, moi toute seule et personne
d'autre qui souffre et me désespère et tout et
tout. Je ne peux pas écrire longtemps, parce
que c'est à peine si j'arrive à me pencher en
avant, je ne peux pas marcher parce que la
jambe me fait horriblement mal, lire me fatigue — je n'ai de toute façon rien d'intéressant
à lire —, je n'ai rien d'autre à faire que pleurer
et parfois, même ça, je n'en ai pas la force... Tu
ne peux pas imaginer à quel point les quatre
murs de ma chambre me désespèrent. C'est
tout! Je ne peux pas t'en dire davantage sur
mon désespoir[1]... »

L'accident a été une tragédie, et Frida a
enduré les plus terribles souffrances physiques
qu'on puisse supporter. Mais c'est après
l'accident que le plus difficile reste à accomplir.
Elle doit reconquérir son corps, sa liberté, et
elle y emploie toute son extraordinaire énergie
vitale.

Le retour à la maison de Coyoacán est le
commencement du combat. Elle se force à sor-

1. In Raquel Tibol, *op. cit.*, p. 45.

tir, à revoir ses amis de la Preparatoria. Trois
mois après sa sortie de l'hôpital, elle reprend
l'autobus jusqu'au centre de Mexico.

La peinture est maintenant au centre de sa
vie, sa « raison d'être », comme elle l'a dit
d'abord à sa mère. Depuis 1923, elle s'exerce à
l'autoportrait, mais son premier grand tableau,
c'est le portrait d'elle — à la manière de Bot-
ticelli —, dont elle fait don à Alejandro pour
essayer de le retenir. Un portrait romantique,
figé à la façon des préraphaélites — ou du Mexicain Saturnino Herrán — où elle apparaît dans
toute sa fragilité, sur un fond violacé sombre qui
fait ressortir la pâleur due à sa souffrance physique. Seuls éléments forts du tableau, qui
parlent de sa vraie personnalité, le regard noir
qui scrute et brille d'intelligence sous la voûte
des sourcils, et la devise sarcastique inscrite au
bas du tableau, en allemand (Alejandro doit
bientôt partir de l'autre côté des mers) :

Heute ist Immer Noch
(Aujourd'hui dure toujours).

Ces quelques mois d'intense souffrance ont
valu des années d'expérience. Frida, à dix-neuf
ans, est une femme mûre, décidée. Excentrique,
agressive, elle a fait ses choix. Elle aime par-
dessus tout son père, si doux, si artiste, et sa
sœur Matilde qui a eu le courage de s'enfuir.

Elle déteste les conventions bourgeoises, la piété excessive de sa mère, et sa sœur Cristina avec laquelle elle entretient une relation de jalousie maladive.

La séparation d'avec Alejandro est un moment difficile de plus, et elle se sent confirmée dans sa solitude et son désespoir. Mais elle n'est pas fille à se laisser malmener. Elle a compris qu'elle ne guérirait pas de sa solitude. Le 17 septembre 1927, elle écrit encore à Alejandro : « Quand tu reviendras, je ne pourrai rien t'offrir de ce que tu voudrais. Désormais, au lieu d'être enfantine et coquette, je serai absolument enfantine et inutile, ce qui est bien pire... Toute ma vie est en toi, mais je ne pourrai jamais la posséder. »

L'amour semble impossible, mais Frida ne peut se résoudre à l'échec, à l'infirmité. De la douleur elle sort changée, amaigrie, le regard brûlant, encore assombri par la voûte de ses sourcils noirs, la bouche serrée et dure, telle qu'elle apparaît sur la photo prise par son père en février 1926, déguisée en garçon au milieu de ses sœurs et de ses cousins, appuyée sur une canne qui n'est certainement pas là pour servir d'ornement.

Elle est décidée à vivre. Malgré les rechutes, ses séjours cloîtrée dans la chambre de Coyoacán, les corsets et les béquilles, elle se bat contre cette solitude qui l'envahit, qui l'écrase. Elle a vingt ans, toute l'impatience et la fébrilité de la jeunesse bougent dans son corps détruit. Elle lit les journaux, les revues, on parle des événements extraordinaires qui se passent à l'extérieur, la lutte pour le pouvoir entre Obregón et Calles, la menace nord-américaine, la répression des forces populaires — puis l'assassinat d'Obregón, de Francisco Villa, les mouvements étudiants. Elle suit les articles sur la Révolution russe, sur les émeutes populaires à Shanghai.

Les *Cachuchas* n'étaient pas très intéressés par la politique, et Frida, avant l'accident, ne se souciait guère des idées révolutionnaires. Quand Alejandro est parti pour l'Allemagne, elle l'a plaisanté : « Là-bas, aux bains, ne flirte pas trop avec les filles... surtout pas en France, en Italie, et absolument pas en Russie où il y a beaucoup de *petites communistes...* » (2 août 1927).

Durant ses longs mois de convalescence, quand elle ne peint pas et n'écrit pas à ses amis, pour tromper son ennui, Frida se plonge dans la lecture. Elle lit des romans de Juán Gabriel Borkman, la poésie d'Elias Nandino ou bien les articles traduits d'Alexandre Kerenski, sur la Révolution russe. L'ex-leader des forces d'insurrection, éliminé par Lénine, vient d'arriver aux États-Unis et son témoignage sur la Révolution russe est loin d'être conforme aux idéaux communistes. Pourtant, en janvier 1928, sous l'influence de Germán de Campo, un ancien

élève de la Preparatoria, Frida entre dans le
petit groupe d'intellectuels sympathisants des
communistes. Il y a là Julio Antonio Mella, réfu-
gié cubain, et le peintre mexicain Xavier Guerrero — amant officieux de la photographe italienne Tina Modotti. Tina est militante, jeune,
d'une beauté romantique qui fascine Frida. Elle
a été repoussée de pays en pays, et a trouvé un
havre à Mexico. Grâce à la révolution, le
Mexique joue alors un rôle de protecteur et de
rassembleur des réfugiés politiques dans cette
région du monde, « un véritable foyer ouvert et
accueillant pour tous les Latino-Américains »
ainsi que le note l'historien Daniel Cosio Villegas.

C'est le prestige de la révolution qui a attiré
Tina Modotti et Julio Antonio Mella à Mexico.
Les troubles qui ont suivi l'assassinat d'Alvaro
Obregón au restaurant « La Bombilla », à San
Angel (non loin de la maison des Kahlo), la
prise de pouvoir par les forces du général Plutarco Elias Calles et l'exécution de Francisco
Villa accentuent le bouillonnement des idées.
Frida est naturellement attirée par ces figures
extraordinaires, par Tina Modotti surtout, si
jeune et si belle, artiste de surcroît, et qui s'est
consacrée tout entière à la révolution. Sans
compter que, chez elle, vient quelquefois Diego
Rivera, et Frida sait maintenant que c'est lui qui
va entrer dans sa vie.

La petite fille insolente et moqueuse qui avait
affronté la jalousie de Lupe Marín est devenue
une jeune femme au regard ardent et décidé,
au visage rendu grave par la marque de la douleur. L'étrangeté de son visage presque asia-
tique, soulignée par sa coiffure qui divise ses
cheveux très noirs, et la sobriété de ses vêtements font battre aussitôt le cœur de Diego
Rivera. Mais c'est par la peinture, encore et toujours, qu'elle entre vraiment dans sa vie.

Dans sa *Ballade de la Révolution prolétarienne*
peinte sur les murs au troisième étage du ministère de l'Éducation à la demande de Vasconcelos, Diego la représente au centre, vêtue d'une
chemise rouge, distribuant des fusils et des
baïonnettes aux ouvriers communistes, aux
côtés de Tina Modotti et de Julio Mella. Et déjà
Frida et Diego s'affrontent, comme ils le feront
tout au long de leur vie amoureuse. Diego se
moque de Frida, lui dit qu'elle a une tête de
chien ; et Frida, sans se démonter, lui répond :
« Et toi, tu as une tête de crapaud. »

L'amour a déjà commencé.

L'AMOUR AU TEMPS
DE LA RÉVOLUTION

À la fin des années 20, la ville de Mexico n'est pas encore cette métropole monstrueuse de la modernité, sinistrée par la pauvreté, asphyxiée par les usines et la circulation automobile, sorte d'enfer du futur où la destruction fait office de fatalité. C'est une capitale tropicale où l'on respire l'air le plus pur du monde, « la zone la plus transparente de l'air », écrit Carlos Fuentes, où se dressent, au bout des grandes rues centrales, les cimes enneigées des volcans, où les patios intérieurs des anciens hôtels espagnols bruissent de fontaines, de musique, du froufrou léger des colibris. Où chaque soir, sur l'Alameda, se promènent les couples d'amoureux, et les rondes de jeunes filles à robes longues et à cheveux enrubannés.

Les années Porfirio ont laissé une trace inoubliable : le luxe des villas fin de siècle entourées de grands jardins, les allées somptueuses ombragées d'acacias et de flamboyants, les fontaines,

les places publiques ornées d'orphéons en fer
tourné où on joue le soir des quadrilles, des
valses, des marches. À la société coloniale de la
fin du siècle s'est mélangée la ville révolutionnaire, qui a tout à coup ouvert ses portes aux
paysans venus des quatre coins de la Répu-
blique, tout un brouhaha de gens, la plupart
Indiens, vêtus de leurs caleçons blancs, chaussés
de *huaraches*, les femmes portant leurs bébés
enveloppés dans les *rebozos*. Ils circulent aux
abords de la place, ils sont aux marchés San
Juán et de la Merced, ils viennent acheter,
vendre, ou simplement regarder la ville dont ils
ne sont pas encore tout à fait sûrs qu'elle leur
appartienne.

Dans toutes les mémoires sont encore présentes les images prodigieuses de la révolution,
quand la masse populaire envahit la place du
Zocalo et les rues avoisinantes, sorte de corps de
dragon géant poussant devant elle les fantômes
de l'Histoire. L'autre image, celle de Francisco
Villa et Emiliano Zapata, les deux chefs de
l'insurrection populaire, le métis du Chihuahua
et l'Indien du Morelos, réunis le temps d'une
photographie-souvenir sous les lambris du
palais, entourés de leurs hommes, quelque
chose de sauvage et d'héroïque dans leur
regard, dans l'orgueil de leur maintien, dans
leur défi au monde des nantis.

Images fugitives, instants fragiles que per-

sonne ne peut oublier. À Mexico, tout doit être
forcément nouveau. Les révolutionnaires, ces
« magnifiques destructeurs », comme les appelle
l'historien Daniel Cosio Villegas, professeur
d'histoire à la Preparatoria, n'ont peut-être rien
su mettre au monde, mais grâce à eux « alors
apparut au-dessus du Mexique une aurore
éblouissante qui annonçait un jour nouveau.
L'éducation cessa d'être le privilège d'une
classe urbaine moyenne pour prendre la seule
forme qui pouvait être au Mexique : celle d'une
mission religieuse, d'un apostolat, apportant
aux quatre coins du pays la bonne nouvelle : la
nation s'est réveillée de sa léthargie et s'est mise
en marche... Alors chaque Mexicain ressentait
au plus profond de son être et dans son cœur
que l'action éducative était une urgence aussi
forte et aussi chrétienne que l'étanchement de
la soif et l'apaisement de la faim. Alors appa-
rurent les premières grandes peintures murales,
monuments qui aspiraient à fixer pour les siècles à venir les angoisses du pays, ses problèmes
et son espérance ».

Il est difficile aujourd'hui, dans un monde
laminé par les désillusions, les guerres les plus
meurtrières de tous les temps, et par la pauvreté
culturelle grandissante, de se représenter le
tourbillon d'idées qui enflamment Mexico
durant cette décennie qui va de 1923 à 1933.
Alors le Mexique est en train de tout inventer,

de tout changer, de tout mettre au jour, dans la période la plus chaotique de son histoire, quand, sur la scène politique, se succèdent les régimes, depuis les derniers rituels médiévaux de Porfirio Díaz jusqu'à l'héroïsme révolutionnaire de Lázaro Cárdenas, en passant par les aléas de la politique d'Alvaro Obregón, de Plutarco Elias Calles et de De La Huerta.

Tout est à inventer et tout apparaît durant cette époque fiévreuse : l'art des muralistes au service du peuple — les seuls vrais « romanciers de la Révolution », comme les appelle Miguel Angel Asturias —, écrivant sur les lieux publics l'histoire tragique et merveilleuse du continent amérindien ; l'art au service de l'éducation, quand les campagnes d'alphabétisation du monde rural utilisent le théâtre de marionnettes, la gravure populaire à la manière de Posada, la comédie de rue, les écoles rurales. L'enthousiasme pour l'ère nouvelle gagne tout le pays. Dans les villages les plus isolés (dans la vallée de Toluca, les steppes du Yucatán, ou le désert du Sonora), les maîtres d'école indigènes fondent des académies de nahuatl, de maya, de yaqui, éditent des journaux, des lexiques, des recueils de légendes. La peinture naïve — non pas celle des chapelles et des marchands de tableaux, mais, comme plus tard en Haïti ou au Brésil, la peinture née dans les champs et dans la rue — éclate comme un feu d'artifice dans

une fête : elle pénètre et force la peinture offi-
cielle, apporte ses formes, ses visions nouvelles,
une façon inédite d'embrasser le monde, de
rendre sa pureté à la culture. La révolution
fauve et cubiste qui avait un instant attiré les
grands peintres de la modernité est balayée au
Mexique par cette révolution populaire qui
détourne l'art de la culture gréco-romaine, le
replonge dans la réalité contorsionnée du quotidien où les expressions, les symboles, les équi-
libres et jusqu'aux lois de la perspective
n'obéissent pas aux mêmes critères.

Lorsque Diego revient au Mexique pour la
deuxième fois, en 1921, c'est cela qu'il trouve et
qui le retient pour toujours. Ce qu'il découvre
dans le Mexique brisé et pantelant du lendemain des guerres civiles, c'est l'autre révolution,
qui commence quand la révolution politique est
en train de s'achever.

La Révolution mexicaine, née de l'enthousiasme de Madero et de l'indignation populaire,
meurt au cours des années 20 dans le *caudillismo* révolutionnaire, la succession des Césars
et des assassinats : Venustiano Carranza, tué à
Tlaxcalantongo par la faction armée favorable à
Obregón ; Obregón, assassiné par le fanatique
Toral à Coyoacán, au lendemain de sa réélec-
tion. Pouvoirs et contre-pouvoirs cherchent à se
partager les restes de l'âge d'or de la révolution

tandis que tombent les vrais révolutionnaires, Felipe Carrillo Puerto, Francisco Villa, Emiliano Zapata, assassinés par ceux-là mêmes qu'ils ont aidés à s'emparer des terres. Calles, surtout, l'homme de toutes les ambiguïtés, le *Jefe máximo de la Revolución*, qui, au nom de la Constitution de 1917, plonge le Mexique rural dans la plus sanglante, la plus cruelle des guerres de castes : le pouvoir central athée et anticlérical contre les paysans catholiques du Michoacán, du Jalisco et du Nayarit.

Diego fuit l'Europe anéantie par la guerre, une Europe sombre et glacée comme l'enfer — l'enfer de Montparnasse, ce Minotaure qui a dévoré le corps de son fils, et qui a réduit l'amour d'Angelina à une farce douloureuse — et ce qu'il trouve à son retour au Mexique, c'est cette explosion de vie et de violence, ce chaos régénérateur où tout est magnifiquement nouveau, le corps des femmes, la sensualité métisse de Lupe Marín, l'immensité des horizons et des possibilités. Il découvre aussi l'âpre enracinement dans cette terre, les pulsions secrètes du passé indien en train de renaître, et surtout l'extraordinaire impatience de ce peuple qui attend depuis si longtemps, qui est prêt à tout recevoir, à tout apprendre. Tout cela que Diego Rivera appelle lui-même la *Renaissance mexicaine* : « Alors les fresques commencèrent à éclore sur les murs des écoles, des hôtels, des bâtiments publics, malgré les attaques violentes de l'intelligentsia bourgeoise et de la presse à son service. »

Diego rentre au Mexique porteur de cette certitude : la terrible guerre qui a coûté tant de vies à l'Europe et qui a pris la vie de son fils n'a pas été un épisode de plus dans l'affrontement des nationalismes. Elle a été le signe du naufrage de la bourgeoisie capitaliste et l'annonce d'un changement total dans l'histoire de l'humanité. La révolution, cet incendie qui a brûlé le Mexique avec une fureur fulgurante, en a été le premier signal. Mais la Révolution russe de 1917, elle, a apporté au monde la foi nouvelle et l'espérance du triomphe des forces populaires sur l'ère du capital. Diego a fait sienne la formule du premier Manifeste du Parti communiste américain, en septembre 1919 :

« Le monde est à la veille d'une ère nouvelle. L'Europe est en insurrection. Les masses de l'Asie commencent à bouger difficilement. Le capitalisme est en train de sombrer. Les travailleurs du monde entier voient apparaître une vie nouvelle et sont animés par une ardeur nouvelle. De la nuit de la guerre est en train de naître un jour nouveau[1]. »

C'est dans cet extraordinaire moment où tout

---

1. In Theodore Draper, *American Communism and Soviet Russia*, New York, 1977, p. 9.

se forme, où tout se crée, que Diego Rivera reprend pied dans la vie mexicaine. Tout ce qu'il a vu, tout ce qu'il a vécu lui donne la force de la conviction et le pouvoir de l'expérience. À trente-cinq ans, il a déjà l'envergure d'un symbole, d'un homme dont la vie et l'action éclairent les autres. Autour de lui se regroupent des peintres, des artistes qui, comme lui, sont en quête d'une expression nouvelle, et comme lui attirés par le mouvement communiste : David Alfaro Siqueiros, José Clemente Orozco, Xavier Guerrero.

Le syndicat des peintres et des sculpteurs trouve dans une revue épisodique, distribuée dans les rues, un organe d'expression : *El Machete*, une feuille « vaste, éclatante, sanglante, grande comme un drap de lit » (Bertram Wolfe), ornée d'une longue machette (50 cm x 15 cm) rouge sang, symbole du travailleur des champs insurgé contre les grands propriétaires. La première page du numéro porte en exergue les vers de Graciela Amador :

> *El machete sirve para cortar la caña,*
> *abrir senderos en los bosques espesos,*
> *descabezar serpientes, destruir toda la maleza,*
> *y romper la soberbia de los ricos sin compasión*[1].

1. La machette sert à couper la canne,
    à ouvrir une brèche dans les forêts épaisses,
    à décapiter les serpents et à détruire les nuisibles,
    et à briser l'orgueil des riches sans pitié.

Le journal, fondé en mars 1924 par Graciela, la femme de Siqueiros, est le lieu de rencontre des peintres du renouveau socialiste, auquel contribuent financièrement et par leurs dessins Diego Rivera, Orozco, Siqueiros, Xavier Guerrero et auquel participent les écrivains révolutionnaires comme Julio Antonio Mella. Sa parution fut brutalement interrompue, quatre ans plus tard, par la répression du président élu en remplacement d'Obregón, le général Ortiz Rubio.

Au cours de l'été 1927, Diego, qui est devenu l'un des piliers du jeune Parti communiste mexicain, se rend à une invitation du gouvernement soviétique et part pour Moscou. L'invitation tombe au bon moment, car Diego, lassé des scènes de jalousie de Lupe Marín, met à profit ce voyage pour consommer leur rupture. Lupe retourne dans sa famille au Jalisco, avec ses deux filles, et Diego passe plusieurs mois en Union soviétique, fasciné par la puissance de l'appareil révolutionnaire, les masses populaires organisées, les défilés militaires. Il est reçu à Moscou avec enthousiasme, comme l'ambassadeur du premier pays révolutionnaire, et fait un portrait de Joseph Staline, secrétaire général du Parti, dans lequel il perçoit un homme d'un langage impeccablement logique et d'une volonté de fer, qu'il veut comparer à Benito Juárez — et qui l'attire par son physique violent, son teint « sombre, chaud, comme celui d'un paysan mexicain ». À Berlin, avant son arrivée en Union soviétique, Diego Rivera a eu l'occasion d'assister à un cérémonial nazi et il pourra opposer l'image du leader communiste à celle du Führer, ce « drôle de petit bonhomme », qui cherche à paraître plus grand qu'il n'est, vêtu d'un imperméable d'officier anglais et qui exerce un pouvoir de fascination sur ses compatriotes.

Dans la foulée de Lénine, Staline est encore un vrai partisan du Komintern. Mais, même plus tard, malgré la corruption du pouvoir et la trahison de l'idéal communiste dénoncées par Trotski, Diego restera toujours fidèle à cette image populaire de Staline qui a su, comme Juárez, incarner totalement la Révolution.

La fin du séjour de Diego à Moscou est néanmoins marquée par une déception. Venu pour entrer en contact avec le peuple révolutionnaire russe, le peintre mexicain est écarté de toute activité et, pour la réalisation de fresques, on lui préfère les artistes soviétiques figés dans le plus absurde classicisme. La rupture entre la révolution et l'art est évidente, et Diego Rivera prend conscience de ce que sa révolution est déjà en avance sur les évolutions politiques, et qu'elle l'éloignera de toute soumission aux impératifs médiocres de l'idéal institutionnel.

Tel est l'homme dont Frida tombe amoureuse au sortir de sa tragédie. Tous ceux qui l'approchent sont fascinés par sa puissance de travail, par son ardeur. Élu au comité exécutif du Parti communiste — avec Orozco et Siqueiros —, il incarne le Mexique de la révolution permanente. Il est provocateur, inquiétant, menteur, violent, vengeur, et terriblement séduisant dans son immense laideur, avec ce visage de guerrier olmèque et sa corpulence de lutteur japonais. L'expérience tragique de la vie, l'épreuve européenne, l'énorme somme de travail qu'il a accumulée en parcourant les musées d'Espagne, de France, d'Angleterre, d'Italie, tout cela en fait le symbole du Mexique que chacun imagine et espère. Il a la supériorité de l'humour noir et de la dérision sur la suffisance des intellectuels. C'est véritablement un homme d'action.

Frida l'admire depuis toujours, depuis le temps où, en cachette, elle allait le regarder peindre les murs de l'amphithéâtre Bolívar à la Preparatoria. Pour lui, pour le séduire, pour l'aimer mieux, elle décide de peindre elle aussi. Et quand l'accident terrible la brise, c'est dans cet acte de peindre qu'elle trouve la force de résister au désespoir, parce que peindre, pour elle comme pour Diego, cela veut dire vivre.

Dans les années 1926-28, la Preparatoria est un lieu d'expérimentation pour la jeunesse

communiste. En février 1926, une collecte est
organisée (par Arcadio Guevara) parmi les
élèves de la Prepa pour permettre à un jeune
révolutionnaire cubain de payer son voyage du
Honduras jusqu'à Mexico. Ce jeune homme est
Julio Antonio Mella, adversaire acharné du dictateur Machado, orateur inspiré, romantique,
d'une extraordinaire beauté. Tout de suite il
s'intègre au mouvement révolutionnaire mexicain, collabore au *Machete*, puis devient secrétaire général du Parti communiste. Tina
Modotti, la jeune photographe italienne, communiste, compagne du photographe Edward
Weston, puis maîtresse de Xavier Guerrero,
réfugiée au Mexique après son expulsion des
États-Unis, rencontre Julio Antonio Mella et
devient sa maîtresse. Le 10 janvier 1929, Julio
est assassiné dans la rue par un agent de
Machado.

La mort tragique du jeune Cubain, la douleur
de Tina qui se trouvait à ses côtés, les dernières
paroles de Julio exhalées dans son dernier
souffle : « Je meurs pour la Révolution » — tout,
dans ce destin tragique, contribua à fortifier la
croyance de Frida dans la nécessité de se
dévouer à la cause du communisme. Pour la jeunesse de 1929, comme il en fut de Che Guevara
pour la jeunesse de 1968, Julio Antonio Mella
représenta l'image même du révolutionnaire
pur et sincère, qui donne sa vie pour l'idée de

justice. Le couple Tina Modotti-Julio Antonio
Mella est l'un des couples qui attirent l'admiration des adolescents de la Preparatoria — et
Frida, dans sa quête d'intégration, est totalement sous l'influence de Tina. Pour elle, la
jeune révolutionnaire italienne représente
l'idéal de la femme libre de son corps et de son
esprit, qui exprime la beauté, l'énergie, la sincérité absolue, vis-à-vis des autres et vis-à-vis d'elle-
même. Alejandro Gómez Arias, l'ancien *novio*
de Frida, rapporte que « c'est grâce à Tina que
Frida changea jusqu'à sa façon de s'habiller,
portant une jupe et une blouse noires, et une
broche représentant une faucille et un marteau,
cadeau de Tina[1]... ».

Frida est alors bien loin encore de s'abandonner entièrement à la foi communiste, comme
elle le fera dans les années 50. Ce qui l'attire,
c'est une certaine image d'elle-même, une
image rêvée qui lui permet d'échapper à la souffrance et à la solitude : l'inquiétude de l'amour
qu'elle lit dans les yeux de Tina Modotti, la
beauté grave et sensuelle du visage et du corps
dévoilé sans pudeur par les photographies de
Weston, et l'ardeur avec laquelle la jeune révolutionnaire met son art au service de la cause du
peuple. Les photos de Tina sont les symboles
mêmes de sa vie ardente et libre : photos de
femmes, de mains, de visages marqués par la

---

1. In *Julio Antonio Mella, en los Mexicanos*, Mexico, 1983, p. 60.

dureté de la vie, ou encore cet extraordinaire portrait d'une Mexicaine portant le drapeau de la Révolution, qui devient l'emblème du futur.

Ce qui motive avant tout Frida, c'est que Diego est au centre du groupe d'artistes et d'étudiants qui se rencontrent chez Tina. Diego le séducteur, le dévoreur de femmes, est attiré par la beauté de la jeune Italienne, par sa vie aventureuse. Chez Tina, Frida se retrouve tout à coup à côté de Diego, elle lui parle, elle appuie sur lui son regard sombre et brillant, elle le force à la regarder. Elle est seule, désespérée, si jeune, et d'une beauté si troublante qu'on ne peut l'oublier. Tout à coup la voici au cœur le plus palpitant de la ville, au centre même où est en train de naître le monde nouveau. La révolution est bien comme la naissance de l'amour. Tout peut arriver.

Tout arrive, en effet. Diego est très attiré par Frida, séduit par l'amour qu'elle porte dans ses yeux, par l'admiration qu'elle lui témoigne. Elle ne ressemble à aucune des femmes que Diego a connues. Elle n'a pas l'angélisme tranquille d'Angelina, ni l'ambition et la névrose de Marievna. Elle ne montre pas l'appétit sensuel de Lupe, cette sorte d'instinct de possession qui fait si peur à Diego et lui rappelle la passion abusive de sa propre mère. Elle est d'une jeunesse et d'une fraîcheur d'esprit qui éblouissent cet homme déjà mûr qui a connu tant d'événements et tant de femmes. L'ogre, devant elle, se fait un peu Pygmalion. Elle le trouble par son innocence, elle l'amuse par sa fantaisie juvénile, et elle l'émeut par le savoir instinctif qu'elle a acquis dans la douleur. Lupe Marín, qui l'a détestée d'instinct dès qu'elle l'a vue — « cette petite », qui l'a défiée dans l'amphithéâtre Bolívar —, est choquée par la familiarité avec laquelle Frida traite le génie, cette moquerie adolescente qu'elle a gardée du temps des « Cachuchas ».

La première fois que Diego se rend à Coyoacán, dans la maison des Kahlo, comme un collégien amoureux, Frida l'accueille perchée en haut d'un arbre, sifflant l'*Internationale*.

Mais la provocation est un masque qui cache l'immense angoisse de Frida, son besoin extrême de communiquer, d'être reconnue. Quand elle se présente à Diego, ce n'est pas comme une jeune femme admirative, mais comme une ouvrière, comme quelqu'un qui entend jouer un rôle, qui veut faire quelque chose de sa vie, qui peint des tableaux. « Je ne veux pas de compliments, dit-elle à Diego. Je veux les critiques d'un homme sérieux. Je ne suis ni amateur d'art, ni connaisseur. Je suis tout simplement une fille qui a besoin de travailler pour vivre[1]. » Elle dit : une fille qui a besoin de

1. Diego Rivera, *op. cit.*, p. 170.

travailler, parce qu'elle sait que c'est sa seule
chance de survie, cette peinture-miroir où elle
puise son aliment, sa substance. Pour Diego, en
revanche, la peinture est sans nul doute un
moyen de conquérir le monde, de séduire, de
toucher, de prendre.

Quand elle invite Diego à venir chez elle voir
ses tableaux, Frida tremble intérieurement sous
les dehors de la fanfaronnade. Ce qu'elle a
peint en 1927, 1928, 1929, les dessins, le portrait
d'Alicia Galant, de sa sœur Cristina, d'Adriana,
ce ne sont pas vraiment des tableaux, c'est
l'interrogation qu'elle lance aux autres, la seule
question qui vaille, la question de sa propre
existence.

Et, tout à coup, Diego comprend. Cette frêle
fille, sous ses apparences fantasques et son faux
air d'enfant mal grandie, est une véritable
artiste, c'est-à-dire qu'elle est habitée, comme
lui, par un démon mystérieux, qui agit en elle et
la pousse vers la peinture. Pour lui, c'est extraordinaire, et il ne sait pas encore à quel point
c'est définitif. Il regarde sa peinture et ce qu'il
voit, « sa chambre, sa présence étincelante le
remplissent d'une joie merveilleuse[1] ».

Il a déjà connu beaucoup de femmes
peintres. María Gutiérrez Blanchard, qu'il a ren-
contrée en Espagne et grâce à qui il a connu
Angelina Beloff. Puis Marievna. Mais c'est la

1. Diego Rivera, *op. cit.*, p. 172.

première fois qu'il rencontre une femme avec qui il se sente à ce point en harmonie, pour qui la peinture est une telle urgence. Elle est si jeune. Elle peint à l'évidence sous son influence, avec les mêmes couleurs éclatantes, les mêmes figures vues légèrement de biais, comme surprises par l'objectif d'un photographe ambulant, et la même puissance charnelle. Et, en même temps, il y a une insistance, une intériorité qui n'appartiennent qu'à elle. Diego, à cet instant, éprouve pour elle un sentiment inexplicable qu'aucune femme n'a jamais fait naître en lui, un étonnement mêlé de désir, une admiration, un respect qui ne s'éteindront jamais.

Lui, l'ogre, le menteur, le géant de la peinture moderne, qui a vécu déjà deux vies, qui raconte la retraite de Russie de Napoléon Ier comme s'il y avait été, qui a vu la révolution et la guerre, qui a rencontré Picasso, Rodin, Modigliani, le voici tout à coup amoureux d'une jeune fille qui n'a jamais rien connu d'autre que la vie à Coyoacán et l'École préparatoire, qui ne peint que les amis qui l'entourent et sa propre image suspendue au ciel de son lit.

Elle le prend par la main, lui fait visiter la maison de ses parents, parle et rit comme s'ils se connaissaient depuis toujours.

Diego joue parfaitement son rôle de fiancé officiel — Frida avait voulu cette cour traditionnelle depuis les années de collège, quand elle avait souhaité faire d'Alejandro Gómez Arias son fiancé. Il visite les Kahlo, parle avec le père de Frida, qui le met en garde avec son humour noir habituel : « C'est un démon occulte ! »

Diego est si amoureux qu'il accepte de jouer cette comédie assez vaudevillesque où les parents d'une fille sans dot (et même avec dettes) acceptent avec réticence un parti intéressant. « Mes parents, écrira plus tard Frida, n'étaient pas d'accord parce que Diego était communiste, et parce que, disaient-ils, il ressemblait à un gras gras Brueghel. Ils disaient que ça serait comme le mariage d'un éléphant avec une colombe. » Malgré les objections de Matilde Kahlo sur l'âge et les mœurs dissolues du peintre, et sur ses divorces successifs, la volonté de Frida est sans discussion — d'autant moins qu'à vingt-deux ans, elle est légalement libre et que le souvenir de la fugue de Matilde hante encore la maison trop vide. Guillermo Kahlo finit par donner son accord, toujours avec le même humour grinçant qui subjuguait sa fille : « Prenez note, dit-il à Diego Rivera, que ma fille est une malade, et qu'elle le restera toute sa vie. Elle est intelligente, mais pas jolie. Si vous voulez, réfléchissez bien, et si vous avez encore envie

de vous marier, je vous donnerai ma permis-
sion[1]. »

Le mariage a lieu à Coyoacán le 21 août 1929.
Frida, en guise de robe de mariée, s'habille en
Indienne, en empruntant à la bonne de ses
parents les jupes à volants à pois, la blouse et le
long *rebozo*. Diego, lui, s'habille « à l'américaine » — ainsi que le décrit le journaliste de *La
Prensa* qui rapporte l'événement —, c'est-à-dire
en pantalon et veste gris, chemise blanche, et
son gigantesque chapeau texan à la main.
L'union est célébrée à l'hôtel de ville de Coyoacán par le maire, un débitant de *pulque*. Les
témoins sont, pour Diego, son coiffeur, nommé
Panchito, et, pour Frida, le docteur Coronado,
ami de la famille, et le juge Mondragón, un
camarade d'études de Diego. Dans ses souvenirs, Diego Rivera raconte qu'au beau milieu de
la cérémonie, don Guillermo Kahlo se leva et
déclara : « Messieurs, est-ce que tout ceci ne ressemble pas à une comédie ? »

Une petite réunion d'amis eut lieu ensuite
chez Roberto Montenegro, où Lupe Marín, l'ex-
femme de Diego, fit irruption et joua une scène
de jalousie. Frida raconte qu'à l'issue de la
réunion, Diego était tellement ivre qu'il tira au
revolver sur divers objets et blessa un des invités.
Pour la nuit de noces, elle dut se réfugier chez
ses parents, avant de retourner quelques jours

1. In Hayden Herrera, *op. cit.*, p. 99.

plus tard au domicile de Diego, sur le Paseo de la Reforma.

Ce n'était pas le mariage dont Matilde Kahlo avait rêvé pour sa fille, mais, à sa manière, dans la dérision et la drôlerie d'une mascarade provocatrice, il célébrait le commencement d'une histoire d'amour entre un éléphant et une colombe, entre le génie égoïste et impétueux de Diego et la jeunesse indestructible de Frida — l'histoire d'un couple exceptionnel qui allait bouleverser la peinture mexicaine et vivre totalement l'aventure de la modernité.

LA VIE À DEUX :
ÊTRE LA FEMME D'UN GÉNIE

La période qui précède son mariage avec
Frida est la plus productive pour Diego Rivera.
Entre 1925 et 1927, le peintre travaille sans
discontinuer et couvre les murs des bâtiments
publics des plus belles fresques de la période
muraliste. Sa puissance de création semble illimitée, son énergie ne connaît pas de rupture.
Engagé par Vasconcelos — qui n'adhère pas
aux idées extrémistes de Diego, mais
reconnaît son génie —, il peint les murs du
ministère de l'Éducation, attribuant à chaque
cour un thème différent, à chaque niveau un
degré de plus dans la hiérarchie des cultures,
culminant avec les arts et les traditions du folklore. Il peint sept jours par semaine, parfois
jusqu'à dix-huit heures par jour. En comptant
la brève interruption de son voyage en Union
soviétique, Diego a peint le ministère pendant
quatre ans, réalisant cent vingt-quatre
fresques qui couvrent plus de cinq mille pieds

carrés de murs (environ cinq cents mètres carrés).

Dans le même temps, il commence et achève de peindre les trente-neuf fresques de l'École nationale d'agriculture de Chapingo (près de Tezcoco) et participe à la restauration de l'ancien palais de Hernán Cortés à Cuernavaca. En 1927, lorsqu'il en a terminé, il s'embarque pour un bref voyage en Europe. Il a mis au jour, dans ce colossal travail, l'essentiel de ses idées et de ses formes. Diego Rivera est maintenant en pleine possession de son art, il s'est dégagé des influences européennes encore perceptibles dans les peintures murales de l'École préparatoire. Il peint des images violentes, vivantes, faciles à comprendre, qui mettent en scène la vie quotidienne et l'histoire du peuple mexicain. Ce qui éclate dans cette peinture, c'est à la fois la liberté d'expression et l'immense savoir-faire de Diego qui met en scène sa peinture comme un homme de théâtre, un architecte, un conteur populaire. Au ministère de l'Éducation, il a étudié l'éclairage de chaque cour, les perspectives, et cette force cinétique qui résulte d'une peinture en contact avec les mouvements de la vie quotidienne, et non plus enfermée dans le lieu clos d'un musée.

Le thème majeur est évidemment la révolution. Entre 1920 et 1930 ont eu lieu des événements décisifs de la politique mexicaine, depuis

Tlaxcalantongo et l'assassinat de Venustiano Carranza jusqu'à l'entrée de José Vasconcelos dans la campagne électorale et l'élection de Pascual Ortiz Rubio. Mais il y a eu surtout l'amertume ressentie par le peuple qui a vu sa révolution confisquée par les forces habituelles de la bourgeoisie et par l'ambition personnelle des *caudillos*. Monde paysan contre le monde *catrín* — ceux qui dorment dans des lits. Monde de la vie contre monde de la mort, monde de ceux qui font avec leurs mains contre monde de ceux qui prennent, qui exploitent, qui mutilent le peuple. Le message est simple. Chapingo, c'est l'histoire de l'État de Morelos, la terre rouge que les « agraristes » d'Emiliano Zapata ont arrosée de leur sang. *La Distribution des terres* dans l'école de Chapingo, ou *Le Moulin à canne* dans la cour du Travail du ministère de l'Éducation montrent la volonté de Diego Rivera de représenter la réalité du labeur des paysans et leur puissance révolutionnaire. Diego se sent maintenant uni à ce travail, à cette puissance. Dans l'une des peintures murales du ministère de l'Éducation, il se représente lui-même, vêtu de sa vareuse de peintre, dans le rôle de l'architecte. Malgré les désillusions de son voyage en URSS, Diego adhère totalement aux grands principes de l'art au service du peuple. C'est l'idéal qui l'accompagnera au cours de son périple aux États-Unis où il portera le souffle de

l'œuvre entamée sur les murs de l'École préparatoire.

Deux autres chantiers lui permettent d'exprimer cette foi en la culture populaire mexicaine.
Le Palais National, dont il doit décorer les murs
de l'escalier d'honneur, et le palais de Cortés, à
Cuernavaca. Ces deux projets, Diego les conçoit
à la gloire des peuples indigènes, de leur
culture dont les prolongements naturels sont
dans la guerre d'indépendance, la lutte de Juárez contre l'envahisseur français et la révolution
dirigée contre l'exploiteur et contre l'Église. La
place au sommet de l'escalier du Palais National
est naturellement occupée par la figure de
Zapata et par sa devise : « *Tierra y Libertad* ».

Parallèlement à la proclamation de l'idéal
révolutionnaire, Diego Rivera se sert aussi de
cette peinture murale pour laisser exploser à la
lumière publique sa foi en la vie, en la beauté
sensuelle du corps féminin.

C'est là qu'il est sans doute le plus proche de
Frida Kahlo, et cette représentation impudique,
violente, parfois mythique du corps de la femme
est déjà en quelque sorte la marche nuptiale qui
s'accomplit dans la parodie de mariage à Coyoacán.

Le corps nu de Lupe Marín offert sur les
murs de l'École d'agriculture de Chapingo est
provocateur et en même temps cosmique,
comme l'étaient les grands nus de Modigliani

exposés dans les vitrines de Montparnasse. Pour Frida qui les a vus naître, les tableaux de Lupe peints sur les murs de Chapingo sont à la fois sublimes et terrifiants, parce qu'ils montrent cette vie qu'elle n'a pas eue, ce corps, cette lourdeur des hanches, cette image de la maternité qu'elle ne pourra jamais atteindre.

En même temps, il n'y a sans doute jamais eu dans l'œuvre de Diego peinture plus imprégnée de religion que celle-là. Non la religion catholique romaine, alliée au pouvoir des reîtres et à l'argent, telle qu'il la représente dans la fresque de Chapingo, toujours disposée à jeter sur les piquants des agaves le corps nu et si doux de la femme indienne, productrice des fruits et de ceux qui les travaillent et dont la peau a la couleur de l'ambre. Mais d'une religion païenne, chthonienne, primitive, la religion de la femme-terre, féconde et généreuse, dont le ventre distendu et les seins gonflés sont les éternels symboles, et qui règne, allongée sur le lit du ciel, bras ouverts, au-dessus de la terre des hommes. Image la plus ancienne et pourtant la plus neuve du monde, que Diego a choisi d'offrir sur le mur du fond de la chapelle, là où, naguère, se dressait l'autel où était célébré un sacrifice devenu parodique.

Telles sont les formidables images — scandaleuses, honnies du public bourgeois qui refuse ces horreurs comme il avait refusé l'impudeur tranquille de Manet ou la nudité angoissante des corps peints par Modigliani — qui troublent Frida, qui entrent en elle, la mûrissent. Elle y rencontre la même quête d'un absolu de soi, la même volonté d'aller jusqu'au bout, jusqu'à la vérité complète par la peinture.

L'œuvre de Frida n'éclate pas sur les murs du ministère ou des musées. Elle est intérieure, toujours, mais suit le même cheminement qui l'ouvre à l'impudeur. La révolution de Frida ne passe pas par les provocations publiques, par les grandes manifestations. Elle n'a pas la qualité théâtrale, dramatique (c'est-à-dire latine) de l'engagement de Tina Modotti. Même si Diego Rivera, dans la fresque du ministère de l'Éducation, fait figurer Frida aux côtés de Tina et de Julio Antonio Mella, distribuant des armes aux ouvriers, c'est une autre révolution qui la sollicite : celle qui doit éventuellement libérer son corps du carcan des souffrances et mettre au jour un amour total, sans frein ni limites, qui la fasse vivre en harmonie avec l'idéal de l'homme qu'elle a choisi. Cette révolution-là ne sera sans doute pas réalisable, mais l'art, en lui permettant de l'exprimer, finira par devenir pour elle, comme pour Diego, le seul vrai lieu de la révolution.

La période qui suit son mariage avec Diego Rivera est pour Frida la plus heureuse, la plus épanouie, et elle s'achève dans la plus cruelle

désillusion. En cette année 1929, elle brûle son
rêve dans une ardeur continuelle, et le rêve est
d'autant plus intense qu'il se déroule à Cuernavaca, où Diego a été convié à la restauration et à
la décoration du palais de Hernán Cortés.

La Cuernavaca des années 30 n'a rien à voir
avec le sombre piège décrit par Malcolm Lowry.
C'est une petite ville luxueuse et propre où se
retrouvent tous ceux qui fuient le climat trop
froid et brumeux de la capitale, riches Américains, artistes, Mexicains de la haute bourgeoisie. Tout aux alentours parle encore des fastes
de l'ère porfirienne, du temps des immenses
haciendas et des exploitations sucrières. L'ère
des grands domaines a survécu aux attaques des
« Indiens » — c'est ainsi que les riches propriétaires appellent les soldats de l'armée de Zapata.
La révolution est passée, les bourreaux de Carranza ont pendu le corps criblé de balles du
chef des Agraristes sur la place de Cuautla, et les
« Indiens » ont regagné leurs foyers l'amertume
au cœur. Mais l'esprit de Zapata est toujours
vivant, il hante les champs de canne et les moulins, il plane au-dessus des maisons des riches et
des fêtes des villages — et quand souffle le vent,
les Indiens croient voir la poussière se soulever
sous les sabots de son cheval.

Pour Frida, c'est la première fois qu'elle sort
de Mexico, qu'elle est en contact avec le vrai
Mexique, rural, indien, où est née la première

insurrection. Elle partage avec enthousiasme
l'aventure de Diego qui peint sur les murs du
palais les figures des prêtres guerriers indigènes,
vêtus de leurs masques et de leurs peaux de
jaguar, sacrifiant les conquérants espagnols, et
aussi les souffrances des *peones* dans les champs,
leur travail autour des moulins de canne. La
beauté de la vie à Cuernavaca, les jardins pleins
d'oiseaux et de fleurs, la gaieté exubérante des
marchés, et les prodiges que réalise Diego lui
donnent un sentiment d'ivresse, de bonheur
total.

C'est alors qu'elle imagine ce projet de révolution intérieure qui va guider toute son existence — qui est sa véritable foi, son unique avenir. Sa lutte pour la justice, c'est ici qu'elle la
conçoit, dans cette harmonie avec le monde
indien, dans la sensualité de cette nature encore
si proche de ce qu'elle était au commencement,
et dont l'âme s'identifie si bien avec celle de
Zapata.

Le bonheur de Frida, sans doute, aide Diego
à se détacher du Parti. Contrairement à ce qu'il
affirmera plus tard (« le Parti était ma seule maison »), maintenant, grâce à Frida, il a vraiment
une maison. Que lui importent les critiques du
Comité central qui n'apprécie pas que le
peintre ait installé ses quartiers dans la villa des
Morrow, chez l'ambassadeur des États-Unis, et
accepté son argent? À présent, il se sent libre, il

vit sa vie d'artiste comme il l'entend. Il est d'autant plus libre qu'en octobre 1929, juste deux mois après avoir épousé Frida, il s'est séparé du Parti communiste au cours d'une sorte de happening politique rapporté par Baltasar Dromundo, l'ami de collège de Frida : Diego, en tant que secrétaire général du Parti, annonce solennellement l'expulsion du camarade Diego Rivera, peintre laquais du gouvernement petit-bourgeois du Mexique[1]. Puis, quand il a fini son réquisitoire, avec le sérieux des canulars qu'il a pratiqués naguère à Montparnasse, il sort de sa poche un pistolet d'argile et le brise sur la table à coups de marteau !

Malgré l'ironie, Diego Rivera souffre de cette exclusion. L'amertume qu'il a ressentie en URSS se trouve confirmée par l'ingratitude du Parti communiste mexicain auquel il a consacré tant d'argent et d'efforts. L'illusion qu'il perd alors est un peu celle de la jeunesse, d'un combat unanime contre les forces du capitalisme et de l'exploitation. Cette rupture est aussi la première prise de conscience de la solitude de l'artiste dans la recherche de sa vérité.

Frida rompt aussi avec le Parti et avec les amis qui condamnent Diego, en particulier avec Tina Modotti, la femme qu'elle a le plus admirée pour la force de ses convictions révolution-

---

1. Diego Rivera, *Iconografia personal*, FCE, Mexico, 1986.

naires. Tina, juste avant l'expulsion de Diego, écrit à Edward Weston (le 18 septembre) : « Nous savons tous que le gouvernement l'a couvert de toutes ces offres pour le séduire, et pour mieux dire : les rouges affirment que nous sommes réactionnaires, mais voyez, nous laissons Diego Rivera peindre sur les édifices publics toutes les faucilles et les marteaux qu'il veut. » Elle ajoute cette condamnation cruelle et définitive : « Il est considéré comme un traître, et c'est ce qu'il est[1]. »

L'autre rêve de Frida, en ces premiers mois de vie commune avec Diego, c'est l'amour. Non pas l'amour comme le pratique Diego avec toutes les femmes, cette sorte de vertige de possession charnelle qui lui vaut le sobriquet de « Taureau » donné par ses contemporains — mais un sentiment violent, impérieux, intransigeant, qui est à la fois toute sa force et toute sa faiblesse, et qui la fait se consacrer corps et âme à l'homme qu'elle a choisi.

Cette période, si féconde pour le muraliste, est une époque muette pour Frida. Elle n'est plus la prisonnière des quatre murs de Coyoacán, interrogeant indéfiniment le miroir suspendu au ciel de son lit. Elle n'est plus une infirme. Elle est la femme de Diego et l'accompagne partout, elle est dans son ombre,

---

1. Christiane Barckhausen-Canale, *Verdad y leyenda de Tina Modotti*, La Havane, 1989, p. 170.

dans sa lumière, elle brille pour lui comme son étoile, elle s'occupe de ses repas, organise sa vie, et construit autour de lui une chimère qui peu à peu est en train de devenir réalité, unissant le géant exhibitionniste et la frêle jeune femme au regard brillant de souffrance cachée.

Elle peint quelques rares tableaux durant ce temps du mariage, dont un portrait de Lupe Marín, qu'elle lui donne pour exorciser sans doute la crainte qu'elle lui inspire — la belle *Tapatia* au corps si maternel, si fécond, entouré des feuilles et des fleurs d'un paradis imaginaire d'où elle ne doit pas sortir — portrait aujourd'hui disparu. Et les portraits d'elle avec Diego, en nouveaux mariés, se tenant par la main, elle, si petite, si jeune, la tête penchée de côté, vêtue de sa longue robe verte à volants et de son châle de *mestiza*, et lui, si grand, si fort, sanglé dans sa ceinture de portefaix, chaussé de ses gigantesques chaussures de travailleur de chantier. L'image du couple qu'elle a décidé, qui doit constituer désormais leur véritable identité à travers déchirements et réconciliations, jusqu'à ce que la mort les sépare.

Pour plaire à Diego, Frida a changé jusqu'à son apparence. Elle a abandonné l'uniforme révolutionnaire imité de Tina Modotti, jupe droite serrée à la taille, chemise stricte de militante et cravate, et cette coiffure tirée par un chignon qui lui donne un air si décidé et juvé-

nile, sur la photo où elle marche aux côtés de
Diego et de Xavier Guerrero dans les rues de
Mexico, le jour du Premier Mai.

Elle arbore maintenant les costumes des
femmes indiennes, longues robes à volants des
Tehuanas de Tehuantepec — dont on dit
qu'elles descendent d'une tribu tzigane —
blouses brodées d'Oaxaca, de la sierra huas-
tèque, grands *rebozos* de soie du Michoacán ou
du Jalisco, chemises de satin des femmes otomis
de la vallée de Toluca, ou *huipils* ornés de fleurs
multicolores du Yucatán.

Il ne fait aucun doute qu'elle doit tout à
Diego dans cette transformation. Depuis son
retour d'Europe, il a parcouru le Mexique,
chaque fois qu'il a pu, avec une frénésie de
découvrir ces richesses culturelles dont il a été
privé. Après les sombres années dans le Paris
glacé de la guerre, la pauvreté et la rupture, le
Mexique frémissant et vivant de l'après-révolution est un éblouissement continuel. Mais Diego
n'est pas un touriste, il ne regarde pas le
Mexique avec la simple curiosité d'un voyageur
piqué par la couleur locale et le pittoresque. Ce
qu'il découvre au cours de ses voyages au Yucatán avec Vasconcelos, ou bien en remontant la
voie sinueuse de Veracruz à Mexico, ou encore
dans la sierra brumeuse du Michoacán, c'est
cette âme indienne qui s'expose dans les fêtes,
les scènes de la vie quotidienne, incarnée par la

beauté des femmes dans leurs costumes tradi-
tionnels, leurs coiffures, leur façon de marcher,
la grâce des enfants, les gestes millénaires des
hommes au travail, les *huacaleros* portant leur
échafaudage de jarres, les pêcheurs, les coupeurs de canne, les *tamemes* charriant sur le
front leurs charges de maïs. Diego, au cours de
ses voyages, note, jette des croquis, observe insa-
tiablement ce monde vivant, vrai, qui est la force
authentique et le seul trésor du Mexique, et
d'où peut à chaque instant surgir la flammè
révolutionnaire.

C'est autour de lui que s'organise le mouvement de la résurrection. Les deux femmes qui
ont participé en tant que modèles et assistantes
à la première grande fresque de l'École préparatoire (sous le regard espiègle et brillant de
curiosité de Frida adolescente) sont toutes deux
des peintres éprises du monde préhispanique :
Carmen Mondragón (à qui le « docteur » Atl a
donné le nom fabuleux de Nahui Olín : quatre
mouvements, le signe du tremblement de terre)
et Carmen Foncenada, toutes deux inscrites au
fameux Sindicato Revolucionario de Obreros
Técnicos y Plásticos, fondé en 1922.

Diego Rivera est convaincu de la nécessité
d'une fusion avec les forces créatrices populaires, avec le folklore. Durant les années 1920-
1930, il participe activement au mouvement fol-
kloriste, écrit des articles dans la revue *Mexican*

Folkways sur les peintures votives, les portraits naïfs, et surtout les fresques qui ornent les murs des *pulquerías* (ces cantines interdites aux femmes où est débité le jus fermenté du *maguey*).

Diego présente les peintures murales des *pulquerías* comme un art authentique, révolutionnaire — d'ailleurs combattu par Porfirio Díaz qui jugeait dangereuse toute expression populaire. C'est dans cet art qu'il entend prendre des leçons, et non dans les musées de la vieille Europe : leçons de coloriste, puisque « le Mexicain est éminemment et avant toute autre chose un coloriste ». La force de l'art populaire mexicain est pour lui la véritable source de la révolution esthétique : « J'ai regardé l'intérieur de maintes maisons d'adobe, écrit-il, parfois si vieilles et si misérables qu'elles ressemblaient davantage à des taupinières qu'à des maisons, et au fond de chacune de ces taupinières, j'ai vu à chaque fois des fleurs, des gravures ou des peintures, ou bien des ornements faits de papier de toutes les couleurs — tout cela constituant une sorte d'autel attestant la religion de la couleur[1]. »

Cela même qu'il exprima, longtemps après, à Gladys March : « C'était comme si j'étais né de nouveau, né dans un nouveau monde[2]. »

---

1. Diego Rivera, « Mexican Paintings », in *Mexican Folkways*, p. 8.
2. Diego Rivera, *op. cit.*, p. 124.

Frida, à partir de 1929, décide de partager avec Diego ce nouveau monde, cette nouvelle naissance. Elle ne sera pas le modèle de Diego pour ses fresques du Palais National ou du palais de Cortés. Mais elle porte sur elle ces couleurs de la révolution, les couleurs qui parlent de la fête, des marchés, de la foule et des manifestations populaires.

Sa relation au monde préhispanique, si elle est largement partagée dans les années 30, Frida n'en use pas comme d'une mode. C'est pour elle un uniforme, un vêtement d'apparat, un masque (*atavio*). Aux côtés de Diego, Frida brille comme si elle sortait elle-même d'une de ses peintures, jaillie de la foule qui entoure Emiliano Zapata à Chapingo, ou, les bras chargés de lis blancs, comme une idole née des dessins de Diego pour le *Mexiko* d'Alfonso Goldschmidt. Frida vit encore à ce moment-là dans le rêve illuminé du mariage, le rêve de la vie partagée du matin au soir avec l'homme qu'elle admire le plus, l'homme qui lui a insufflé une foi nouvelle.

Au palais des Beaux-Arts, à Mexico, elle a vu les chefs-d'œuvre de l'art précolombien, les statues, les pierres dures polies et brillantes comme le plus dur acier, les masques incrustés de turquoises, d'améthystes, les bas-reliefs monumentaux. Depuis son retour au Mexique, Diego Rivera a commencé la plus extraordinaire

collection d'objets d'art préhispanique, qu'il
achète au cours de ses voyages en province ou
au marché du Volador à Mexico : statuettes
d'argile de Colima, masques de bébés souriants
de la région olmèque, chiens nus de Tezcoco,
figurines de fertilité du Nayarit — collection ras-
semblée aujourd'hui dans le musée que le
peintre a fait construire pour elle, l'*anahuacalli*
(la maison de l'Anahuac).

Comment Frida a-t-elle rencontré la statue
qui lui a servi de modèle ? Aujourd'hui encore
cette statuette passe inaperçue à côté des formidables réalisations de l'art mexica, dieux de gra-
nite ou serpents géants de porphyre. Peut-être
l'a-t-elle remarquée parce qu'elle est une des
rares représentations féminines de l'art aztèque,
surtout hanté par la guerre et la mort. C'est une
statuette en bois noirci par le temps, haute
d'environ quarante centimètres. Elle figure une
femme debout, bras repliés et mains ouvertes en
coupe sous les seins, le visage très haut, le cou
ceint d'un collier. Les traits du visage, la stature,
et surtout cette coiffure très précise, cheveux
nattés mêlés de fils de coton et formant une
couronne sur la tête, c'est Frida tout entière,
identifiée à la déesse de la terre et de la
fécondité, la Tlazolteotl des anciens Mexicains,
qui porte dans son corps la vie et la mort, et
s'offre au regard des hommes.

Pour Diego Rivera, et pour la plupart des

créateurs de sa génération, le « docteur » Atl, Rufino Tamayo, Carlos Mérida, Orozco, Jean Charlot, Vasconcelos, Pellicer, comme plus tard pour la génération de Justino Fernández et d'Octavio Paz, le monde préhispanique est hanté par cette déesse qui dort son sommeil magique sous la turbulence du monde mexicain moderne. La puissance de l'art précolombien est au cœur même de la revendication, et César Moro, le correspondant du surréalisme au Mexique, écrira dans sa présentation de l'Exposition internationale surréaliste en 1938 : le Mexique et le Pérou sont les « pays qui gardent, malgré l'invasion des barbares espagnols et ses séquelles, encore sensibles aujourd'hui, des millions de points lumineux qui doivent être pris le plus tôt possible dans la ligne de mire du surréalisme international ».

Mais, pour Frida, il s'agit de tout autre chose que d'une quête littéraire. À la recherche de son double, de cette autre Frida qui doit vivre, briller, éblouir tous ceux qui l'approchent, elle revêt ce masque pour faire de sa vie un rituel dont l'art de Diego est le centre solaire.

Ce rituel, cette parade, c'est l'autre versant de la peinture de Frida, l'œuvre qu'elle peint avec son visage et avec son corps, et qui la relie au plus profond de son origine rêvée, dans le regard angoissé qu'elle pose sur elle-même, sur sa propre identité.

Étrangement, c'est durant cette période où
elle change son apparence, dans les mois qui
suivent son mariage avec Diego Rivera, que
Frida peint le moins. Étrangement, mais non
sans raison : au cours de ces mois, alors que
Diego travaille aux fresques du Palais National,
puis dans l'hiver éclatant de Cuernavaca, Frida
devient elle-même une partie de l'œuvre de
Diego, son tableau vivant. De même que la peinture des murs du palais de Cortés se continue
naturellement dans le paysage fabuleux de la
vallée de Cuernavaca, architecture d'arbres et
chaos des *barrancas* dominées par les remparts
sombres des volcans, de même Frida, avec son
visage de *mestiza*, ses yeux pareils à des obsi-
diennes sous l'arc des sourcils, dans le chatoie-
ment des étoffes et des colliers, semble sortir
des fresques et des tableaux comme une mystérieuse réflexion qui met en mouvement toutes
ses inquiétudes et ses désirs enfouis dans les
profondeurs du temps. Cela est encore plus vrai
à Cuernavaca, tant y sont présentes les formes
venues du passé, les ruines ensevelies dans les
forêts bruissantes à Malinalco, les pierres-idoles
cimentées dans les murs des maisons espagnoles
à Huautla, ou le temple arasé offert au dieu du
vent au sommet du Tepozteco. Et aussi, les
visages des femmes dans les marchés, les enfants
aux traits usés de bronze ancien tenant dans
leurs bras des iguanes bleus sur la route de

Taxco, et, toujours, l'ondulation lente de la toison des cannes vers le fond de la vallée, et les lentes files des travailleurs en pyjama blanc sur les chemins frangés de *colorines*. Et, à jamais, l'esprit invaincu d'Emiliano Zapata qui soulève l'âme des Indiens et les pousse à l'assaut des maîtres de la terre.

Jamais Frida n'a été plus révolutionnaire que durant ces mois passés à Cuernavaca, au soleil éblouissant du génie de Diego Rivera. Et jamais Diego n'a peint avec autant de force, de fièvre, d'impatience, que dans les fresques de Chapingo, hymne à la beauté triomphale de la nature, et devant les murs du palais de Cortés pareils aux ruines de l'enfer enchâssées dans le jardin du paradis. Angelina Beloff elle-même, lorsqu'elle visitera pour la première fois l'école de Chapingo et le palais de Cuernavaca, malgré tout son ressentiment, « lui pardonna tout ce qu'il avait fait, jusqu'aux déceptions les plus intimes, car il n'est pas facile d'être la femme d'un génie [1] ».

Révolutionnaire, Frida l'est jusqu'au plus profond de son être, puisque c'est durant ces mêmes mois, tandis que la création de Diego à Chapingo et à Cuernavaca fait naître les images les plus fortes, qu'elle décide de braver pour la première fois l'interdit des médecins et porte un enfant qu'elle ne peut mettre au monde.

---

1. Angelina Beloff, *Memorias*, SEP, Mexico, 1986, p. 86.

Elle qui a choisi le vêtement et le visage de la
déesse de la fertilité, elle qui désire par-dessus
tout être mère, connaît alors la plus cruelle
déception de son existence — une déception
telle qu'elle ne pourra jamais vraiment l'accepter. Les mois d'ardeur, d'espoir, de travail, les
mois durant lesquels elle s'identifie à la vie, aux
couleurs, aux formes, à la danse de la vie, la renvoient à la mort de l'enfant qu'elle a conçu,
comme à son seul miroir. Telle elle apparaît
dans l'unique autoportrait de cette année-là,
pâle, les traits anguleux, le regard brillant d'une
flamme froide, dans une lumière crépusculaire,
portant aux oreilles ces curieux bijoux des
terres chaudes, ces boucles d'oreilles en forme
de cages dans lesquelles les femmes de l'isthme
enferment des lucioles en guise de diamants.

LA VILLE DU MONDE

Le 10 novembre 1930 Diego et Frida débarquent à San Francisco où les attend Ralph Stackpole, un sculpteur grâce à qui Diego Rivera a été invité à venir réaliser des peintures murales aux États-Unis. Pour Diego, il ne s'agit pas d'un voyage de tourisme, ni d'un bref passage. Il quitte le Mexique sans savoir quand il reviendra. C'est aussi la première fois qu'il part avec une femme — lui qui, jusqu'à présent, s'expatrie pour fuir une liaison qui l'encombre.

Diego est arrivé au terme d'une aventure. Déjà, en 1926, il a reçu une invitation de William Lewis Gerstle à venir peindre une fresque à l'École des beaux-arts; maintenant, après quatre ans de changements dans sa vie, il sait que le moment est venu pour lui de rencontrer l'Amérique.

Tant d'événements se sont produits en ces quatre années : il y a eu le voyage en Russie, et la désillusion qui a suivi; il y a eu surtout l'expulsion de Diego du Comité central du Parti communiste, par la faute de Freeman, un homme médiocre qui jalouse l'indépendance du peintre ; il y a eu une autre éviction, celle de Diego Rivera de la direction de l'Académie de San Carlos où on a jugé son enseignement trop révolutionnaire. Autour de lui, il a senti se resserrer la trame des mesquineries, des petits complots. Même les peintres qui étaient à ses côtés dès le début, Orozco, Siqueiros, Jean Charlot, à présent le critiquent, lui reprochent ses succès, tournent en dérision son parti pris indigéniste. La mort de Julio Antonio Mella, le révolutionnaire cubain, en 1929, a marqué la rupture de Diego avec le Parti. Tina Modotti, la maîtresse de Mella, une femme que Diego avait admirée sans restriction, est l'objet d'une campagne de dénigrement de la part de la presse mexicaine qui l'accuse d'avoir été complice de l'assassinat. Elle sort brisée par l'épreuve, et l'amertume la fait se retourner contre ce peintre qui ne pratique pas la discipline du Parti et privilégie l'art à l'engagement politique.

Pour Diego Rivera, il est temps de partir, d'oublier un pays dont les éternelles discussions politiques deviennent pour lui une gêne. Ce qu'on lui reproche surtout, c'est son indépendance. L'affaiblissement de la révolution, le pourrissement moral qui est la conséquence du régime Calles et de l'ambition d'Obregón, la guerre de religion qui déchire le Mexique rural, tout le pousse à s'éloigner. D'autant plus que commence la campagne électorale qui oppose, dans la course au pouvoir, le médiocre favori de Calles, Ortiz Rubio, et l'écrivain José Vasconcelos, qui fut autrefois le protecteur de Diego et que l'ambition ravale au rang d'apprenti-démagogue.

Et puis il y a Frida, la dépression dans laquelle elle sombre après la fausse couche de Cuernavaca. Frida qui rêve depuis toujours de quitter le Mexique, de voyager, d'aller à San Francisco, qu'elle appelle la « Ville du Monde ». Elle en rêve tant que tout finit par arriver. Diego raconte que la veille du jour où est parvenue par la poste l'invitation de Timothy Pflueger à participer à la décoration du Stock Exchange de San Francisco, Frida a rêvé qu'elle faisait ses adieux à sa famille et qu'elle s'embarquait pour la « Ville du Monde ». Pour elle, comme pour lui, ce départ n'est pas temporaire. C'est un départ vers une vie nouvelle, un autre monde.

L'Amérique se montre particulièrement accueillante en la personne d'Albert Bender, un agent d'assurances et collectionneur d'art grâce à qui l'interdiction faite aux anciens communistes d'entrer sur le territoire américain peut être levée en ce qui concerne Diego et Frida. C'est cette générosité qui enthousiasme d'emblée Rivera.

Le séjour à San Francisco est véritablement la lune de miel de Diego et Frida. Le couple est fêté, reçu partout; hébergé par Stackpole dans son petit appartement du *down-town*, il est invité à assister aux concerts, à donner des conférences à l'université. Diego est heureux, d'abord parce qu'il est reconnu et aimé comme il ne l'a jamais été, et aussi parce que la Californie est un champ d'expérimentation pour sa peinture révolutionnaire. Cette terre rurale, où vivent encore tant de souvenirs et tant d'hommes liés au vieux Mexique, est son premier lieu de contact avec le prolétariat américain. C'est le creuset où se rencontrent les fantômes du passé et la violence du présent, les races venues des quatre coins du monde, le réservoir dans lequel l'Amérique du capital va puiser ses forces de travail. C'est surtout la fabuleuse corne d'abondance de l'avenir.

Frida est moins enthousiaste. À Isabel Campos, son amie d'enfance, elle écrit le 3 mai 1931, après un séjour chez les époux Stern, à Atherton : « La ville, tu ne peux pas imaginer comme c'est magnifique. [...] La ville et la baie sont superbes. Les *gringos* ne me plaisent pas du tout, ce sont des gens très compliqués, et ils ont tous des têtes de biscuit cru (surtout les femmes). Mais ce qui est très bien ici, c'est le quartier chinois, la foule chinoise est vraiment sympathique. Et je n'ai jamais vu d'enfants plus

beaux de toute ma vie que les enfants chinois.
Oui, vraiment, ils sont magnifiques, j'aimerais
en voler un pour que tu voies[1]. »

Le tourbillon d'activités et le travail qui
emportent Diego Rivera ne parviennent pas à
faire oublier à Frida sa solitude, que la barrière
de la langue augmente encore. Comme elle dit,
elle « aboie l'indispensable », mais elle ne parvient pas à se lier d'amitié avec les femmes
qu'elle rencontre, et, pour elle qui aime tant la
société et l'échange verbal, la vie est triste et difficile. Alors elle se renferme dans son splendide
isolement, drapée dans ses longs châles mexicains, portant ses bijoux et ses jupes d'Indienne.
C'est ici, à San Francisco, qu'elle apprend à
affirmer sa différence, qu'elle peint sur son
visage ce masque d'éloignement un peu dédai-
gneux qui contraste si fort avec l'expression vive
et narquoise de ses seize ans.

Rencontré un peu par hasard quelques mois
plus tard, Edward Weston, l'ami photographe
de Diego Rivera — qui, après sa séparation
d'avec Tina Modotti, est venu vivre à San Francisco —, fait un rapport pittoresque sur le
couple, particulièrement sur Frida, en perpé-
tuelle représentation : elle semble, écrit-il, « une
petite poupée à côté de Diego, mais elle est
petite seulement par la taille, parce qu'elle est
forte et belle, et ne montre pas beaucoup le

---

1. In Raquel Tibol, *op. cit.*, p. 53.

sang allemand de son père. Elle est habillée en
indigène, jusqu'aux sandales, et provoque beaucoup de curiosité dans les rues de San Francisco. Les gens s'arrêtent sur son passage pour
la regarder avec étonnement[1] ». Mais le beau
portrait qu'il tire d'elle cette année-là montre
bien à quel point la métamorphose est profonde. La fille insolente, aux yeux brillants et
provocants, est devenue une jeune femme
d'une singulière beauté, enveloppée dans ses
châles et chargée de ses bijoux de terre cuite
d'idole précolombienne, armure plutôt que
parure, déjà fermée sur sa solitude et le regard
un peu détourné, comme voilé par le souvenir
de la douleur.

Durant les sept mois que le couple Rivera
passe en Californie, Frida peint peu de
tableaux. Elle visite la ville, elle « ouvre les
yeux », comme elle dit. Le voyage lui permet
d'oublier — non ses misères physiques, mais
l'étouffement qu'ils ont tous deux ressenti au
moment de quitter Mexico, cette impression
d'avoir fermé toutes les portes : la mort de Julio
Mella, l'expulsion de Diego du Parti, et aussi la
présence souvent envahissante de la famille de
Frida — la vie sombre des Kahlo à Coyoacán —,
sans doute aussi le souvenir voluptueux de Lupe
Marín qui continue de hanter le passé de Diego.

Malgré la solitude, c'est un bonheur encore

1. Edward Weston, *Daybooks*, New York, 1961, vol. II, p. 198.

intact qui unit Diego et Frida, et que Frida se plaît à représenter sur le tableau peint à l'intention d'Albert Bender, leur bienfaiteur, — un tableau à la manière naïve, reprenant les dessins que Frida a faits après leur mariage, où elle paraît si petite et si fragile, pareille en effet à une poupée dans son costume au grand châle flamboyant, à côté de Diego sanglé dans son complet sombre, chaussé d'énormes brodequins, palette et pinceaux à la main. Le bonheur simple et l'amour sincère s'expriment dans les mots que Frida écrit sur une banderole portée par une colombe : « Ici vous me voyez, moi Frida Kahlo, à côté de Diego Rivera mon époux bien-aimé, j'ai peint ces portraits dans la belle ville de San Francisco, Californie, pour notre ami M. Albert Bender, et c'était le mois d'avril de l'an 1931. »

À San Francisco, le couple n'a pas le loisir de s'arrêter, le temps ne leur laisse pas la possibilité de se voir, de s'entre-dévorer. L'accueil des Californiens est enthousiaste, spontané et exigeant. La réputation de Diego, le pouvoir de séduction qu'il exerce non seulement sur les intellectuels, mais sur la presse, font de lui un hôte de marque, objet de la curiosité et de la sollicitude des journalistes. Dès son arrivée, il est invité partout, on veut connaître son opinion sur tout. La Californie des années 30 est le lieu même du cosmopolitisme, et le Mexique y tient le rôle de passé culturel. Quand Diego et Frida assistent à un match de football américain, les reporters veulent les impressions du peintre qui compare le jeu et l'ambiance du stade à la corrida et prétend y voir l'expression d'un « art de foule ».

Diego peint les murs de la salle à manger du Stock Exchange avec un enthousiasme tout neuf. San Francisco est véritablement la porte de l'Amérique et il ne veut pas gâcher sa chance de pouvoir franchir cette porte. Le bonheur du couple tout juste marié qui vient de fuir l'asphyxiant climat politique mexicain — amertume de l'échec de Vasconcelos, rivalités pour le pouvoir, impasse du Parti — fait de Diego un homme heureux de peindre et de gagner de l'argent avec sa peinture. Ses allégories sur le travail et la richesse agricole de la Californie sont encore très conventionnelles et font penser davantage à Saturnino Herrán qu'au Rivera iconoclaste de Chapingo et du ministère de l'Éducation. Mais la figure aérienne de la championne de tennis, Helen Wills, volant sur le plafond — incarnation symbolique de la Californie —, exprime bien l'idéal de jeunesse et de beauté que le peintre espère rencontrer en Amérique du Nord. À ceux qui lui reprochent de ne pas avoir exprimé la lutte des classes, Diego, dans *Portrait de l'Amérique*, répondra plus tard, avec justesse, que la peinture doit être en harmonie avec le lieu dans lequel elle se trouve.

« Je crois sans aucune ambiguïté qu'une œuvre
d'art ne peut être vraie que dans la mesure où
son rôle est en complète harmonie avec le bâti-
ment ou la salle pour lesquels elle a été
créée[1]. » Par leur vie et dans leurs actes, Diego
et Frida affirment alors clairement leur indépendance par rapport à la ligne du Parti communiste.

Le conformisme pictural de Diego ne résiste
cependant pas au goût de la plaisanterie et son
travail à l'École des beaux-arts suscite une vive
polémique. Dans la peinture consacrée justement à l'art de la fresque, il s'est représenté de
dos, au centre de l'échafaudage, son énorme
derrière débordant de la planche sur laquelle il
est assis. Considérée comme offensante pour le
peuple américain, la fresque sera masquée après
le départ du peintre (elle est aujourd'hui redé-
couverte).

Si San Francisco, la « Ville du Monde », fut
pour Diego l'occasion de franchir la porte de
l'Amérique, pour Frida, ces six mois d'isolement, d'éloignement de son milieu naturel
marquent le commencement de l'« intériorisa-
tion » : elle « ouvre les yeux », mais sur la profondeur interne, sur les symboles et les secrets
qui sont de l'autre côté de la réalité. Au miroir
de Coyoacán se substitue alors une autre vérité
qui ressemble à la fenêtre de son enfance par

---

1. Diego Rivera, *Portrait of America*, New York, 1934, p. 15.

laquelle elle gagnait son vrai domaine. Chaque portrait raconte une histoire, non seulement par les thèmes, mais aussi par les couleurs, les lignes, les juxtapositions — comme sur les peintures d'ex-voto.

Il est significatif qu'elle ait réalisé cette métamorphose dans le silence de San Francisco, en reprenant parfois les dessins de Diego, comme dans le portrait de Luther Burbank, inventeur d'espèces végétales devenant plante lui-même. C'est que le silence appelle justement ce langage, et que ce langage, les histoires qu'elle raconte au moyen de ses tableaux vont devenir son unique verbe amoureux destiné à Diego.

Lors du retour à Mexico, l'été de 1931, Diego reprend son travail acharné sur les murs du Palais National — il doit corriger et parfois effacer ce que ses aides ont fait pendant son absence. Il sait déjà qu'il va repartir pour les États-Unis, poursuivre sa découverte de l'immensité de la nouveauté, et faire avancer la cause de la révolution universelle.

Cela aussi est une vérité cruelle pour Frida. Elle a connu la « Ville du Monde », elle a mesuré combien la réalité était plus redoutable et plus difficile que le voyage rêvé qu'elle avait souhaité dans son adolescence. D'instinct, elle se retourne vers ce qu'elle est, ce qu'elle aime, ce monde beaucoup plus doux et inoffensif auquel elle appartient : Coyoacán, la maison

blanche et rouge de son enfance, les petites
rues sinueuses, les soirées qui remplissent les
places, le jacassement des oiseaux dans les jardins, le bruit tranquille des jets d'eau et le brouhaha de la vie, les enfants de Cristina, les bavardages amoureux, la musique, l'accent chantant
des Indiennes sur le marché. À son intention,
pour lui dire qu'il l'aime, Diego, à peine sorti
du chantier harassant qu'il mène sur le Palais
National, trouve encore le temps de croquer les
petits enfants de Coyoacán, les voisins, les petits
amis de Frida, comme il les appelle, tapis dans
les coins ou silencieux sur leur chaise, leurs
visages très doux, leurs grands yeux noirs
comme des bijoux indiens, Juanita Flores et tous
les autres qui entrent et sortent librement dans
la grande maison de Coyoacán, le « palais » où
règne cette dame si belle, et étrange — un peu
sorcière —, au milieu des tableaux et des statues
semblables à des chimères. Alors, tout lui
manque, les odeurs, les rumeurs, le goût des
enchiladas et des haricots frits qu'elle évoque
pour son ami le docteur Leo Eloesser, qui l'a
soignée à San Francisco. Elle lui écrit comme à
son seul ami resté de l'« autre côté », ces mots
émouvants et désabusés, qui montrent bien sa
solitude, son attachement total à Diego, et
combien elle était devenue là-bas, dans la « Ville
du Monde », l'Indienne déracinée dans un
monde terrifiant :

« Le Mexique est, comme toujours, désorganisé et allé à la diable, mais ce qu'il garde, c'est l'immense beauté de la terre et des Indiens. Chaque jour, la laideur des États-Unis vole un peu de cette beauté, tout cela est bien triste, mais il faut bien que les gens mangent et on ne peut pas empêcher les gros poissons de manger les petits[1]. »

Au pessimisme de Frida répond alors l'enthousiasme de Diego pour qui l'Amérique doit être le lieu de la nouvelle expérience de l'art et le futur champ d'action de la révolution universelle. La beauté de l'Amérique indienne ne sera pas détruite par la laideur du capitalisme, mais, au contraire, devra libérer de nouvelles forces, de nouvelles splendeurs :

« Américains, écoutez-moi. Et quand je parle de l'Amérique, je parle de tout le territoire compris entre les barrières de glace des deux pôles. Foutre de vos barrières de fil de fer et de vos gardes-frontières !

« [...] Américains, l'Amérique a nourri pendant des siècles un art indigène créatif dont les racines s'enfoncent profondément dans ce sol. Si vous voulez vénérer l'art ancien, vos antiquités américaines sont authentiques.

« L'Antiquité, l'art classique de l'Amérique, on les trouve entre le Tropique du Cancer et le Tropique du Capricorne, cette bande de terre

1. In Hayden Herrera, *op. cit.*, p. 127.

qui était au Nouveau Monde ce que la Grèce était à l'Ancien. Vos antiquités, vous ne les trouverez pas à Rome. Vous les trouverez au Mexique.

« [...] Sortez vos aspirateurs et débarrassez-vous des excroissances ornementales d'un style frauduleux ! Nettoyez vos cerveaux des fausses traditions, des peurs injustifiées, et soyez complètement vous-mêmes. Soyez sûrs des immenses possibilités de l'Amérique : PROCLAMEZ L'INDÉPENDANCE ESTHÉTIQUE DU CONTINENT AMÉRICAIN [1] ! »

---

1. Diego Rivera, *Myself, my Double, my Friend the Architect*, Hesperian, San Francisco, 1931.

PORTRAIT DE L'AMÉRIQUE
EN RÉVOLUTION

Après un bref été à Mexico, et malgré les réticences de Frida, le couple Rivera s'embarque, en novembre 1931, à bord du *Morro Castle*, à destination de New York. En effectuant ce voyage, Diego répond à l'invitation du directeur de l'Institut des arts de Detroit, William R. Valentiner, et de son associé, l'architecte Edgar P. Richardson, à venir peindre une fresque dans la Cour du Jardin de l'Institut. Durant ce même été 1931 qui précède le départ des Rivera, une autre offre, encore plus extraordinaire, est arrivée, apportée par Frances Flynn Paine, une des premières marchandes de tableaux de New York, conseillère d'art à la Fondation Rockefeller : les portes du prestigieux musée d'Art moderne s'ouvriraient à Diego Rivera pour une exposition générale de ses œuvres.

Au retour de San Francisco, Diego et Frida avaient retrouvé le Mexique dans une condition catastrophique. La récession économique des années 1928-29 frappait naturellement au premier chef les pays pauvres. La guerre civile qui ravageait les campagnes du Centre-Ouest, au Michoacán, au Jalisco, au Nayarit, depuis la loi scélérate de Calles et les persécutions contre la religion catholique, avait enfoncé la partie la plus riche du pays dans le chaos et la misère, et divisait le Mexique en deux[1]. Une autre persécution, dirigée contre les communistes — la mise hors la loi du Parti, et la rupture avec l'Union soviétique, consécutives à la tentative de coup d'État des nordistes et du communiste Guadalupe Rodriguez, assassiné au Durango, avait rendu toute vie politique impossible. Malgré sa notoriété, Diego sentait se refermer autour de lui le réseau de conspirations et de jalousies qui l'avait poussé à partir pour la Californie.

L'offre de Valentiner et de Richardson ouvre des perspectives intéressantes à Diego et Frida, à un moment où ils ont particulièrement besoin

---

1. En 1926, à la suite de la loi éditée par Calles décrétant la fermeture de la plupart des églises, commença, au centre et à l'ouest du Mexique, une guérilla connue sous le nom de « Christiade » qui opposait aux forces gouvernementales des paysans mal armés et combattant sous la bannière du Christ-roi. Cette guerre acharnée dura quatre ans et atteignit des sommets de cruauté — elle inspira notamment l'œuvre du romancier Juan Rulfo —, et fut naturellement déconsidérée par la plupart des intellectuels associés à la révolution. Pour eux, comme pour Diego Rivera, il n'était question que du fanatisme des réactionnaires. Pour mieux comprendre ce chapitre tragique de l'histoire du Mexique, il faut lire Jean Meyer, *La Christiade*, Paris, Gallimard, 1973.

d'argent. Ce même été, Diego a entrepris la construction d'une maison à San Angel — un double studio, relié par un pont, où chacun pourra vivre indépendamment de l'autre. D'autre part, la situation financière de la famille Kahlo à Coyoacán est devenue de plus en plus difficile ; pour venir en aide à son beau-père, Diego Rivera a même dû lui racheter la maison de Coyoacán, laissant aux parents de Frida le droit d'y habiter toute leur vie durant.

L'Institut des arts de Detroit a offert dix mille dollars pour peindre les quelque cent mètres carrés de murs de la Cour du Jardin. Avec un sens certain de la négociation, Diego, après s'être renseigné, a proposé de peindre la totalité des murs (environ cent soixante-trois mètres carrés) pour le même prix au mètre carré, soit une rémunération de près de vingt mille dollars, et la commission de l'Institut a donné son accord. À l'époque, le salaire minimum journalier de l'ouvrier américain est de sept dollars. L'offre de Detroit représente donc une très grosse somme, la plus importante jamais proposée au peintre mexicain.

Mais l'argent n'était pas tout.

Le retour de Diego aux États-Unis, dans la partie la plus industrialisée du continent, au cœur même de la société capitaliste, constitue aussi un extraordinaire défi — et, pour Frida, malgré la peur que fait naître en elle cette plon-

gée dans un monde si violemment et entièrement différent du sien, cela peut être en quelque sorte la revanche du petit poisson sur le
gros.

Pour Diego, l'aventure américaine doit être
totale, sans ambiguïté. Ce qui l'attire, ce n'est
pas la force de l'argent ni l'espoir de la liberté.
C'est la possibilité de pénétrer, par sa peinture,
cette masse humaine qui a su édifier l'empire
industriel le plus puissant de toute l'histoire,
d'entrer dans le secret de cette formidable
machine, d'approcher ses rouages, de
comprendre l'origine de son énergie, d'agir
comme un ferment dans la formation de cette
pensée collective, de mettre son art au service
de la révolution qui se prépare.

L'Amérique qu'il attend, c'est celle de l'« ère
nouvelle » annoncée en 1919 dans le premier
Manifeste du Parti communiste américain.

Quelque dix ans après la création de la première Internationale communiste (la section
américaine du Komintern formée par Charles
E. Ruthenberg et Alexander Bittelman),
l'enthousiasme de Diego est encore intact. Son
expérience malheureuse en URSS — l'échec de
son projet de fresques au service de la Révolution russe — et les impérities du *caudillismo* à la
mexicaine — ce que Gramsci appelle un « bona-
partisme épisodique » — n'ont pas entamé
l'enthousiasme et l'ardeur juvénile du peintre.

Mais elles lui ont donné la conviction que la vraie révolution du siècle aura lieu justement au cœur du règne capitaliste, dans cette fourmilière industrielle des États-Unis d'Amérique du Nord.

Diego, qui a connu l'horreur de la guerre en Europe, cet incroyable déferlement de souffrances inutiles, jusqu'à la mort de son enfant dans le Paris glacé et ruiné par les années de détresse, ressent profondément l'appel de la révolution sur le continent américain. La Révolution mexicaine, la première du monde moderne, a brûlé comme un immense et fulgurant incendie. Sur les cendres du Porfiriat a resurgi une bourgeoisie faite de politiciens corrompus et de militaires ambitieux et rusés. En Russie, la révolution a été totale, magnifique. Frida se souvient encore des pages d'Alexandre Kerenski, qu'elle avait aimées et qui semblaient parler d'une révolution encore à venir : « Ce fut un temps extraordinaire, inspiré, un temps d'audace et d'extrêmes souffrances. Ce fut un temps unique dans les pages de l'Histoire. Toutes les préoccupations insignifiantes de la vie quotidienne et tous les intérêts partisans s'étaient effacés de notre conscience[1]. » Et ces mots qui seraient allés droit au cœur de Diego : « La Révolution fut un miracle, un acte de création inventé par la volonté de l'humanité, un

. Alexander Kerenski, *The Catastrophe*, New York, 1927, p. 3.

parcours épique vers un idéal éternel et universel. »

Diego était revenu de Moscou les valises pleines de croquis et de dessins qui étaient autant d'éléments de cette vision d'une révolution à venir. Ce n'est pas un hasard s'il confie ces dessins à Frances Flynn Paine pour qu'elle les emporte à New York et les montre aux membres de la Commission directoriale du musée d'Art moderne : pour lui, il ne fait pas de doute que ces images doivent féconder la révolution américaine.

Diego est revenu de Russie avec la certitude que seul Trotski est digne d'hériter du message de Marx et de Lénine. Le discours de Staline en 1924, par lequel il renonce implicitement à la révolution universelle, suivi de l'exil de Trotski à Alma Ata, ont clairement démontré à Diego — et cela lui apparaîtra plus clairement après son expulsion en 1929 du Parti communiste mexicain — que la révolution reste à accomplir.

L'Amérique, en 1930, est plongée dans un chaos social et moral où tout peut apparaître. Malgré la persécution de l'attorney général Palmer et de son adjoint J. Edgar Hoover contre les « Rouges », malgré les arrestations arbitraires, les tortures, les assassinats, les partisans de la révolution sociale ont gardé toutes leurs illusions. À Mexico, Diego a parlé avec les *slackers* italiens, réunis autour de Tina Modotti et du révolutionnaire Vidali. Avec eux, il a évoqué le souvenir des grands mouvements de foule, les manifestations en faveur de Sacco et Vanzetti, quand intellectuels et ouvriers se retrouvèrent côte à côte et marchèrent dans les rues de Boston vers la prison de Charlestown pour tenter d'arracher à la mort le « bon cordonnier » et le « pauvre marchand de poisson », victimes de la chasse aux communistes étrangers. Bertram Wolfe, ami depuis dix ans avec Diego, a raconté son arrestation par la police, sa rencontre en prison avec John Dos Passos. C'est de cette Amérique que rêve Diego depuis qu'il est revenu de la vieille Europe amère et désillusionnée.

Son rêve n'est pas celui d'un politicien, ni même d'un partisan. C'est avant tout le rêve d'une révolution esthétique et culturelle, d'une révolution du regard. Durant l'été 1931, tandis que roulent les orages électriques sur Mexico et que Frida renaît dans le jardin de Coyoacán inondé chaque soir par les averses, Diego est déjà ailleurs, dans cet autre monde qu'il veut conquérir. Il sait déjà ce qu'il va peindre à Detroit, il voit déjà l'ensemble des formes, les machines, les enchaînements, le lien qui unit le monde moderne au plus profond de l'histoire de la terre. Avant même que le lieu ne lui soit offert, il sait ce qu'il doit y peindre. À San Francisco, il a confié à William Valentiner son désir de « rendre plastique le rythme somptueux, toujours ascendant qui va de l'extraction de la matière première, produite par la nature, jusqu'à l'élaboration de l'objet fini, produit par l'intelligence humaine, son besoin, son action[1] ».

Cette révolution du regard à laquelle Diego Rivera souhaite désormais travailler n'est possible que dans la rencontre des deux mondes opposés qui forment le continent américain. Déjà, en 1929, avant même le projet de Detroit, il écrit son manifeste de la révolution en peinture, au cœur même de son œuvre :

« J'ai toujours maintenu que l'art en Amérique, s'il parvient un jour à exister, sera le produit de la fusion du merveilleux art indigène, venu des profondeurs immémoriales du temps, au centre et au sud du Continent, et de l'art du travailleur industriel du Nord. »

Et :

« J'ai choisi mon thème — celui-là même qu'aurait choisi n'importe quel autre travailleur mexicain luttant pour la justice et l'abolition de toutes les classes. J'ai vu avec d'autres yeux la beauté du Mexique et, depuis lors, j'ai travaillé avec autant d'acharnement qu'il a été possible[2]. »

Manifeste qu'il complétera en 1932 après l'expérience de Detroit : « Il y a une grande

1. Diego Rivera, in *Portrait of America, op. cit.*, p. 17.
2. *Creative Art*, New York, janvier 1929.

nécessité d'expression artistique dans le mouvement révolutionnaire. L'art a l'avantage de parler un langage qui peut être compris facilement par les travailleurs et les paysans du monde entier. Un paysan ou un travailleur chinois peut comprendre une peinture révolutionnaire plus rapidement et plus facilement qu'un livre [...]. Le fait que la bourgeoisie se trouve en état de décomposition et que son art dépende de l'art européen indique qu'il ne peut y avoir de développement d'un art authentiquement américain sans une création issue du prolétariat. Pour qu'il soit un bon art, l'art de ce pays doit être un art révolutionnaire[1]. »

Diego résume ses idées sur l'art dans une formule à l'emporte-pièce, à propos des peintures religieuses populaires (dans *Mexican Folkways* n° 3) : « Le paysan et le travailleur urbain ne produisent pas seulement des grains, des légumes et des objets manufacturés. Ils produisent aussi de la beauté. »

La grande exposition eut lieu le mardi 22 décembre 1931 au musée d'Art moderne de la Cinquième Avenue. Elle réunissait un grand nombre de toiles de Diego Rivera (cent quarante-trois), certaines datant d'avant sa période cubiste, et montrait la versatilité du génie créateur du peintre. Le plus étonnant, pour les New-

---

1. *The Modern Quarterly*, New York, automne 1932.

Yorkais, fut l'exposition des fresques peintes sur des panneaux mobiles, que Diego avait exécutées durant le mois précédant l'exposition, et pour lesquelles il avait fait venir du Mexique du sable de rivière tamisé et du plâtre. Au cours de sa conférence de presse à l'hôtel Barbizon-Plaza, Diego expliqua la technique de la fresque, reliée à l'art de la Renaissance italienne et à l'art préhispanique du Mexique. Seuls des pigments naturels, provenant de terres de différentes couleurs, étaient utilisés selon la palette réduite et raffinée des anciens peintres mayas du temple des Jaguars, à Chichen Itza. Deux tons de rouge. Deux tons de bleu. Quatre verts. Jaune. Blanc. Noir. Pourpre.

Malgré la notoriété de Diego Rivera et le prestige du lieu (la précédente exposition au musée d'Art moderne avait été consacrée à Matisse), cette première rencontre fut un peu décevante pour le peintre. La presse bouda le travail de Rivera, allant même jusqu'à critiquer ouvertement l'outrecuidance du panneau intitulé *Frozen Assets* (Fonds gelés) qui mettait en évidence le lien entre le capital et la police, leur responsabilité dans le maintien de l'esclavage. L'édition dominicale du *New York Times* le présenta dans un article mitigé où l'on reprochait à Diego d'avoir affadi, dans les copies de ses fresques, le travail fait à Chapingo et à Mexico. L'article d'Edward Alden Jewell était associé à une polé-

mique dans laquelle étaient tournées en dérision les idées du peintre sur la renaissance de
l'art indigène — les Indiens d'Amérique, disait
le commentaire, « une culture de paniers et de
couvertures ! » — et où l'on reprochait aux
mécènes de soutenir des peintres étrangers plutôt que les Américains. Une des conséquences
de la récession économique de 1930 était en
effet l'application d'un décret visant l'exclusion
des étrangers de tout travail régulier. Pourtant,
l'exposition fut un succès auprès du public, et
une grande partie des intellectuels new-yorkais y
accourut.

Les premiers mois du séjour à New York
furent difficiles pour Frida. Malgré ses robes et
ses bijoux mexicains, elle restait dans l'ombre
de son colossal mari, effrayée par cette ville violente et sale que, dans une lettre à son ami le
docteur Eloesser, elle décrit comme « une
immense cage à poules crasseuse et inconfor-
table ». Depuis San Francisco, elle éprouve un
sentiment d'hostilité envers ces riches Américains qui « vont dans des *parties* nuit et jour pendant que des milliers et des milliers de gens
crèvent de faim[1] ».

L'époque, il faut le dire, est difficile. La récession frappe d'autant plus cruellement en cette
période de fêtes de fin d'année, et les rues de
New York, pleines de miséreux, évoquent davan-

---

1. In Hayden Herrera, *op. cit.*, p. 131.

tage le Londres de Dickens que la ville orgueilleuse des Rockefeller. Les journaux sont pleins
d'articles consacrés aux « nécessiteux méri-
toires », pour lesquels on fait appel à la charité
publique. Le salaire mensuel minimum de deux
cent dix dollars n'est souvent même pas atteint,
et certaines ouvrières, dans les ateliers de
confection, doivent se contenter, pour survivre,
de cinquante, voire trente dollars par mois.

Tandis que Diego est occupé à peindre, Frida
se promène dans les rues de Manhattan. L'hiver
est doux et pluvieux, et elle pense avec nostalgie
aux ciels éclatants et au froid du matin à Coyoacán, aux enfants qui grignotent la canne à sucre
de Noël au coin des rues, aux Indiennes qui
vendent des fleurs de *noche buena* et de la terre
végétale. L'hôtel Barbizon-Plaza est un caravan-
sérail froid et ennuyeux, et Frida ne parle pas
anglais, ne connaît rien au monde qui
l'entoure. Au docteur Eloesser, elle écrit, fin
novembre, avant l'exposition : « Diego, bien
entendu, est déjà en plein travail, et la ville
l'intéresse beaucoup, et moi aussi, bien sûr,
mais comme toujours, je ne fais rien d'autre que
regarder droit devant moi et m'ennuyer pendant des heures[1]. »

Les distractions lui manquent. Elle n'est nul-
lement intéressée par la société des gens
« comme il faut », et la foule new-yorkaise est

---

1. In Hayden Herrera, *op. cit.*, p. 132.

une masse compacte, hostile, où elle ne peut
même pas briller de son éclat de fleur exotique,
comme elle le faisait dans les rues ensoleillées
de San Francisco. La place lui manque à l'hôtel
pour peindre ou dessiner. Elle se noue d'amitié
avec le peintre Lucienne Bloch, assistante de
Diego, ensemble elles vont au spectacle, assister
à des représentations populaires comme les
Ziegfield Follies, ou au cinéma, voir *Frankenstein, an epic of terror.*

En mars, Diego et Frida prennent le train
pour Philadelphie pour la première de *H.P.,
Horse Power,* un spectacle-ballet conçu sur une
idée et des décors de Diego, avec une musique
du compositeur mexicain Carlos Chavez. En
fait, il s'agit d'un ancien projet (1927) qui est
resté dans les cartons de Diego, jusqu'à ce que
l'exposition de New York l'en ait fait ressortir.
Le ballet est un vieux rêve du peintre où il mêle
le passé indien du Mexique à la modernité
industrielle. Pour lui, c'est une introduction
idéale à son projet de Detroit. Mais Frida est
caustique, elle commente sans indulgence le
spectacle à son ami le docteur Eloesser :

« Une foule de blonds insipides qui font semblant d'être des Indiens de Tehuantepec, et
quand ils devaient danser la *sandunga*, on aurait
dit qu'ils avaient du plomb à la place du sang[1]. »

En fait, c'est déjà la marque du rejet par Frida

1. *Ibid.*

de ce monde anglo-saxon dont elle a peur, dont elle se défie instinctivement, parce qu'il la sépare de son mari. Elle vit intérieurement le choc de cette rencontre avec le monde industriel et ses injustices mais n'a pas, comme Diego, la possibilité de s'en libérer par la création. Elle se sent alors coupée d'elle-même, loin de son reflet, privée de sa source de chaleur. Elle aime Diego plus que tout au monde, et pour lui elle a accepté d'aller si loin de chez elle, si loin de sa mère et de son père — et même, d'une certaine façon, de sacrifier son art. Elle songe de nouveau à avoir un enfant, elle l'a décidé sans rien lui en dire. Quand, à la fin d'avril 1932, Diego décide d'entamer le chantier de Detroit, Frida part avec lui pour le Michigan, soulagée au fond d'elle-même de quitter cette métropole effrayante, où elle a vécu comme une ombre.

L'accueil à Detroit donne à Frida une meilleure impression. Le couple est reçu avec chaleur par le docteur Valentiner et son assistant Burroughs, de l'Institut d'art. Il y a surtout la représentation mexicaine, composée pour une grande part d'ouvriers qui travaillent dans les usines Ford, venus avec le consul du Mexique. Diego débarque vraiment comme l'ambassadeur de la culture de l'Amérique latine, et le contact avec les travailleurs immigrés vaut beaucoup mieux pour lui et pour Frida que celui du beau monde new-yorkais.

Pour Diego Rivera, le gros budget prévu par l'Institut (financé par la Compagnie Ford) est une occasion extraordinaire de partage. Il conçoit le projet comme un chantier dont il sera l'architecte-bâtisseur et qui va lui permettre d'engager des aides, des travailleurs, des manœuvres. Pour lui, le partage n'est pas seulement une idée. Tout au long du séjour à Detroit, le peintre jouera un rôle de protecteur auprès de ses compatriotes, leur dispensant argent et soutien, particulièrement à ceux qui doivent payer leur voyage de retour vers le Mexique.

Diego est véritablement un ambassadeur à Detroit. Dans les années 30, après le long *black-out* de la révolution, les États-Unis, sous la présidence de Hoover, cherchent à rétablir des liens économiques et commerciaux avec leur turbulent voisin du Sud. En confiant à Rivera le soin de la restauration et de la décoration du palais de Cortés à Cuernavaca, Morrow, l'ambassadeur des États-Unis au Mexique, a officialisé son rôle dans le mouvement de rapprochement. La peinture murale, par son aspect populaire et spectaculaire, est le symbole de cette nouvelle alliance.

Cette volonté de réconciliation n'est pas gratuite. Le krach boursier d'octobre 1929 a durement touché l'économie américaine. Les petits épargnants ont perdu leur pouvoir d'achat, les emprunteurs ne peuvent plus rembourser leurs dettes, les banques sont en faillite. L'année qui suit l'effondrement des banques, des milliers d'usines ont fermé leurs portes, six millions d'ouvriers ont perdu leur emploi. L'État du Michigan, et particulièrement la zone industrielle de Detroit, compte près d'un million de chômeurs, réduits à la misère, qui errent de ville en ville, et grossissent le rang des vagabonds secourus par l'Armée du Salut. L'alcoolisme, le gangstérisme qui fleurit sur la prohibition, le suicide sont les plaies de cette époque sinistre.

Même l'usine Ford a été durement touchée par la crise. En 1930, pour maintenir le salaire minimum à sept dollars par jour, Henry et Edsel Ford doivent réduire considérablement les effectifs, c'est-à-dire augmenter les cadences. D'autres compagnies associées à la Ford, comme la Briggs Body qui fournit les carrosseries, baissent les salaires jusqu'aux limites du tolérable, à douze *cents* et demi de l'heure[1]. À l'époque, beaucoup de travailleurs d'usine ne sont pas syndiqués. Detroit, au moment où Diego et Frida y arrivent, est une zone sinistrée. Non loin de l'usine de La Rouge, à la place des bidonvilles d'Inkster, Henry Ford a créé une ville nouvelle qui témoigne de sa volonté de surmonter la crise en réhabilitant les ghettos. Son

1. Voir Robert Lacey, *Ford, the Man and the Machine*, Boston, 1986, p. 304.

fils Edsel, aidé par sa femme Eleanor,
combattent la dépression sur un autre front :
pour sortir de l'impasse, Ford doit participer à
l'élan de conquête des débouchés vers les autres
pays, notamment vers le Mexique qui sera
nécessairement le nouveau marché automobile
des années à venir. Edsel Ford est également un
des tout premiers industriels à comprendre le
rôle des arts — et, entre tous, des arts plastiques
— dans ce qu'on appelle aujourd'hui la promo-
tion commerciale. La rencontre d'Edsel Ford
avec William Valentiner a été déterminante
dans la participation financière des usines Ford
à la réhabilitation et à l'enrichissement du
musée d'Art moderne de Detroit, l'Institut
d'art. Puis la rencontre de Valentiner et Diego
Rivera en Californie a permis au peintre de
venir à Detroit[1].

Lorsque Diego et Frida débarquent du train,
le 21 avril 1932, ils sont tout de suite plongés
dans ce climat d'extrême tension sociale et de
réalités industrielles, bien différent des mondanités et du snobisme new-yorkais. Diego est
transporté d'enthousiasme, il passe de longues
journées à visiter les installations de La Rouge,
les quartiers des ouvriers, il rencontre les tech-

---

1. Rencontre due cependant au hasard, puisque, selon Wolfe,
William Valentiner était venu à San Francisco surtout pour suivre
la femme dont il était amoureux, Helen Wills, tenniswoman qui
servit de modèle à Rivera pour sa fresque symbolisant la Californie.

niciens, les manœuvres, les cadres, il s'imprègne de l'atmosphère extraordinaire de l'usine, cette impression de puissance et de créativité qu'il n'a ressentie nulle part ailleurs. Il fait des centaines de croquis, d'esquisses, il prépare les plans de décoration des murs de la Cour du Jardin, il sait maintenant exactement ce qu'il doit peindre : non pas le seul mur nord prévu au départ, mais les quatre murs qui entourent le jardin intérieur et la fontaine baroque (cette « horreur » que Diego voudrait bien faire disparaître) et qui lui rappellent les vieux hôtels particuliers de l'époque coloniale à Mexico. Ce qui inspire surtout Diego Rivera, c'est l'usine de La Rouge, formidable architecture futuriste d'acier et de ciment qui répond parfaitement à l'idée que le peintre s'est faite du monde ouvrier : « De toutes les constructions de l'histoire de l'homme, dit Rivera, il n'y a rien qui vaille cela. » Au *New York Herald Tribune*, il déclare : « Tout est là : la puissance, la force, l'énergie, la tristesse, la gloire et la jeunesse de notre continent[1]. »

Entre le vieil empereur Henry Ier, chef de la dynastie Ford, et le géant mexicain s'esquisse une étrange amitié, assez contre nature, sur laquelle Diego s'étendra plus tard non sans complaisance. Ce que Diego admire chez Ford, c'est l'homme de décision issu du peuple, qui a

---

1. Cité par Robert Lacey, *op. cit.*, p. 318.

bâti seul un empire qui s'étend jusqu'au Brésil. Comme Diego lui-même, Henry Ford est un enfant du pays minier, né dans une des régions les plus sauvages du continent américain; jusqu'au milieu du xixe siècle, le Michigan est la frontière entre la civilisation rurale et la forêt — de même que Guanajuato fut la frontière entre le Michoacán agricole des anciens Tarasques et l'Amérique aride des sauvages Chichimèques.

Mais ce qui réunit Henry Ford et Diego Rivera, c'est le pouvoir de la création, l'enthousiasme qu'ils ressentent l'un et l'autre pour cette transformation de la matière brute, pour la force du progrès, pour les creusets des fonderies, les machines-outils, les presses, les bouillonnements de la puissance industrielle, l'œuvre commune des masses humaines. La vision de Rivera n'est pas romantique. Elle est une sorte de rêve d'avenir, une ivresse de jeunesse. À Dearborn, Diego Rivera visite le cœur du rêve industriel, le musée dans lequel Henry a entreposé des spécimens de toute l'histoire des machines, et Diego s'attarde dans le musée, ébloui par l'accumulation de ces « masses de ferraille », de sept heures jusqu'à une heure du matin le jour suivant. Le lendemain, il rencontre Henry Ford et l'échange est à la mesure de l'admiration que le peintre ressent envers le vieil empereur du capitalisme mondial. En repartant, passant devant les usines de La Rouge et les quartiers généraux de la compagnie, Diego Rivera vibre d'enthousiasme pour le projet qu'il entrevoit et auquel il a commencé à travailler :

« Tandis que je roulais vers Detroit, une vision de l'empire industriel de Henry Ford passait tout le temps devant mes yeux. Dans mes oreilles, j'entendais la symphonie magnifique qui sortait de ses ateliers où les métaux prenaient la forme d'outils au service des hommes. C'était une musique nouvelle, qui attendait un compositeur dont le génie serait à même de leur donner une forme communicable[1]. »

Malgré l'évolution ultérieure de son expérience américaine, Diego Rivera ne reniera jamais l'admiration qu'il a éprouvée pour Henry Ford, pour sa puissance créatrice et pour le rôle qu'il a joué dans l'instauration du règne industriel. Plus tard, se souvenant de cette visite, il confiera à Gladys March : « J'ai regretté que Henry Ford ait été un capitaliste et l'un des hommes les plus riches du monde. Je ne me suis pas senti libre de faire son éloge aussi longuement et publiquement que je l'aurais voulu [...]. Autrement, j'aurais essayé d'écrire un livre dans lequel j'aurais montré Henry Ford tel que je l'ai vu, comme un vrai poète et comme un artiste, l'un des plus grands de son temps[2]. »

---

1. Diego Rivera, *My Art, my Life, op. cit.*, p. 187.
2. *Ibid.*, p. 188.

L'enthousiasme de Diego Rivera lui fait omettre ou négliger la grande tache sur l'honneur de Henry Ford : des prises de position trahissant le plus vil antisémitisme, exprimées dans un journal hebdomadaire, le *Dearborn Independent*, dans lequel, entre 1921 et 1924, ont été publiées de violentes attaques contre les Juifs, « sangsues de l'Amérique », curieusement associés à la montée du jazz et à la corruption de New York, « Babylone des temps modernes ».

Beaucoup moins enthousiaste que Diego, Frida Kahlo ne résiste pas au plaisir de la provocation. Ayant appris que l'hôtel où la compagnie les a logés — le Wardell, juste à côté de l'Institut d'art —, refuse les Juifs, elle mobilise Diego. Ils menacent de déménager et obtiennent la levée de l'interdiction — et un rabais sur le loyer mensuel ! Peu après leur arrivée, au cours d'un dîner officiel à Fair Lane, la résidence de Henry Ford au bord de la rivière Rouge, Frida profite d'un silence dans la conversation pour poser à voix très claire au vieil homme la question qui lui brûlait la langue : « M. Ford, êtes-vous juif[1] ? »

Diego Rivera n'en ressentit pas moins pour Edsel, fils de Henry Ford, une véritable amitié. Durant tout le temps de la préparation des fresques, Edsel procura toutes les facilités pour

---

1. L'anecdote fut contée à Hayden Herrera par Lucienne Bloch.

le travail collectif des peintres. Des techniciens s'occupaient de la recherche des pigments, un photographe réalisait les clichés des détails de l'usine que Diego souhaitait incorporer aux peintures.

Durant le printemps et l'été 1932, tandis que Diego travaille à la fabrication des stencils qui vont couvrir les murs de la cour de l'Institut d'art de ses formes magiques, Frida connaît une des périodes les plus difficiles de son existence. Elle n'a plus les mêmes raisons que Diego d'aimer la vie à Detroit. Pour elle, c'est une ville sans intérêt — « un vieux village de cahutes », écrit-elle à son ami le docteur Eloesser. Elle partage un peu de l'enthousiasme de Diego pour les usines de La Rouge, mais « tout le reste, dit-elle, est comme tout ce qu'il y a aux États-Unis, laid et stupide ». Après tant de mois loin du Mexique, elle ressent une nostalgie grandissante pour son pays, pour l'atmosphère provinciale et familière de Coyoacán, pour le goût des « *tacos* et des haricots »; lui manquent les rencontres avec ses amis, et jusqu'à l'atmosphère dramatique de la maison familiale. L'état de santé de sa mère s'est aggravé, Frida sait qu'elle est en train de mourir d'un cancer; et ni Matilde ni Cristina ne lui écrivent. Elle se sent abandonnée.

Pourtant, Diego s'ingénie à la distraire. Avec les Rivera et l'équipe des peintres assistants est venu un couple rencontré à New York, des Anglais excentriques : John, vicomte Hastings, comte de Huntingdon, et sa femme Cristina, fille de la marquise de Cassate, qui fut le modèle du peintre Augustus John. Ils ont loué un appartement voisin de celui des Rivera et, chaque soir, ils se réunissent pour dîner, boire et parler jusqu'à une heure avancée de la nuit. Diego a reconstitué à Detroit l'atmosphère de la bohème de Montparnasse et c'est au cours de ces soirées que Valentiner examine les croquis de travail du peintre.

Mais Frida n'est pas dupe. Les journées se succèdent dans la solitude et une inactivité qui paralyse même ses facultés artistiques. Durant la plus grande partie de ce séjour à Detroit, elle ne peint pas, ne dessine pas. Elle est enfermée dans un cocon où seule la douleur physique la maintient encore en éveil.

Et il y a surtout ce projet complètement fou auquel elle s'est donnée. Malgré l'expérience désastreuse de Cuernavaca, Frida a décidé d'avoir un enfant. C'est cela surtout qui occupe sa vie. À l'hôpital Ford où elle est allée en consultation pour un ulcère qui la fait souffrir au pied gauche (la jambe qui a été atteinte autrefois par la poliomyélite), Frida a fait la connaissance du docteur Pratt, une relation de lady Cristina. C'est à lui qu'elle confie son angoisse. Le docteur Pratt est déjà informé du lourd passé médical de la jeune femme ; lui-même, au cours d'un bilan de santé, a pu déterminer toutes les tares physiques de Frida, les terribles séquelles de l'accident, mais aussi la malformation congénitale — le bassin trop étroit qui rend la grossesse difficile. Une analyse de sang semble aussi révéler que Frida est atteinte de syphilis. Ce tableau catastrophique est aggravé par l'indécision du médecin. Dans un premier temps le docteur Pratt conseille à Frida un avortement pendant qu'il en est encore temps (elle est enceinte de moins de trois mois). Pour Frida, qui désire tant avoir un enfant, cette perspective est tragique, mais Diego finit par la convaincre.

Fin mai, dans une lettre à son ami le docteur Eloesser, elle raconte ces moments difficiles, elle attend un conseil, un miracle : « Étant donné l'état de ma santé, j'ai pensé qu'il valait mieux avorter. Je le lui ai dit, et il m'a donné une dose de quinine et une purge radicale d'huile de castor. Le jour suivant, j'ai eu une petite hémorragie, presque rien. De toute façon, j'ai cru que j'avais avorté et je suis retournée voir le docteur Pratt. Il m'a examinée, et il m'a dit que non, il était tout à fait sûr que je n'avais pas avorté, et il a été d'avis qu'il vaudrait beaucoup mieux, au lieu de tenter une opération pour avorter, garder le bébé. » Ne sachant à qui se fier, Frida pose au docteur Eloesser la

question angoissée : « Je veux que vous me don-
niez votre avis en toute confiance, car je ne sais
pas ce que je dois faire. Naturellement, je ferai
tout ce que vous jugerez bon pour ma santé, et
Diego pense de même. »

Il n'est pas seulement question pour elle de sa
santé, mais aussi de son indépendance, de sa vie
avec Diego, de sa création. Au moment où son
rêve ancien d'avoir un enfant de Diego a encore
une chance de se réaliser, elle ne sait quelle
décision prendre. Elle est seule devant son
doute, n'a personne d'autre à qui se confier :
« Je ne veux pas vous importuner davantage,
écrit-elle au docteur Eloesser, vous ne savez pas,
Doctorcito, comme cela me fait mal de vous
ennuyer, mais je vous parle comme à mon meilleur ami, et pas seulement comme à mon docteur, et votre opinion m'aidera plus que vous ne
pouvez l'imaginer. Car je ne peux compter sur
personne ici. Diego est toujours très bon avec
moi, mais je ne veux pas le déranger avec ces
choses-là quand il est accablé de travail, et il a
surtout besoin de calme et de tranquillité. Et je
n'ai pas assez confiance en Jean Wight [Frida a
peint son portrait à San Francisco en 1931] et
en Cristina Hastings pour les consulter sur quelque chose qui a une énorme importance et qui
risque de m'envoyer à la tombe[1] ! » La réponse
du docteur Eloesser arrivera longtemps après

1. In Hayden Herrera, *op. cit.*, pp. 148-150.

que la décision aura été prise, et confirmera
l'avis du docteur Pratt qu'il faut garder le bébé.

La décision finale, Frida doit la prendre toute
seule, et elle choisit de faire ce qu'elle attend
depuis si longtemps et qui nécessite un vrai
miracle. Elle décide de garder cet enfant — qui
sera un peu l'enfant que Diego lui-même a
décidé de peindre au centre de l'immense
fresque de l'Institut, au-dessus de la porte ouest,
« ce germe, un enfant, non un embryon —
enveloppé dans le bulbe d'une plante qui
envoie ses racines jusqu'aux entrailles de la
terre fertile [1] » et qui est le commencement de
toute création humaine. Il sera l'enfant de
Detroit. Frida a prévu de rentrer au Mexique
dès le mois d'août afin qu'il naisse à Coyoacán,
chez elle.

Un mois et demi plus tard, dans la touffeur de
l'été du Michigan, Frida vit l'horreur. Lucienne
Bloch, à qui Diego a confié le soin de veiller sur
elle, assiste, impuissante, à la fausse couche.
Dans la nuit du 4 juillet, Frida perd son enfant
dans de terribles souffrances et se vide de son
sang. Diego l'accompagne dans l'ambulance qui
l'emmène à l'hôpital Ford, essaie de calmer ses
crises de désespoir. Les jours suivants, il lui
apporte des couleurs et des crayons et les dessins qu'elle fait l'aident à surmonter la tragédie.

1. Diego Rivera, *Portrait of America*, *op. cit.*, p. 10.

Il sait que c'est le seul moyen pour elle de survivre.

Quand elle sort de l'hôpital, Frida peint les deux tableaux qui marquent les débuts de sa peinture si personnelle, où les événements de sa vie quotidienne, ses désirs, ses peurs, ses sensations les plus intimes prennent des formes à la fois symboliques et réelles. Sur l'un, elle est étendue sur un lit d'hôpital, après une césarienne, le bébé à ses côtés. Sur l'autre, elle gît nue dans une flaque de sang, et au-dessus de son lit, comme des emblèmes de cauchemar, flottent des images obsédantes : un os pelvien brisé, un bidet avec des instruments chirurgicaux, une fleur d'orchidée, un escargot monstrueux, une oriflamme étrange et un fœtus âgé de trois mois — pour celui-ci, Frida a demandé à Diego de lui apporter un dictionnaire médical contenant des planches. Sur le montant du lit de l'hôpital est inscrite la date fatidique : juillet 1932.

À la fin de ce mois de juillet, Diego commence la réalisation des fresques sur les murs de l'Institut d'art, et Frida ne peut plus rester inactive ; elle retourne à l'hôtel, elle est impatiente de tenir son rôle, d'aider son mari à mettre au monde sa peinture. La lettre qu'elle écrit au docteur Eloesser quelque temps après son retour à la vie normale traduit bien sa disposition d'esprit, qui est de faire face au malheur et de dominer ses propres faiblesses, comme elle a déjà su le faire en 1927. « *Doctorcito querido*, écrit-elle, j'avais eu un tel espoir d'avoir pour moi un Dieguito qui aurait beaucoup braillé, mais maintenant tout ça est arrivé, et je ne peux rien faire d'autre que le supporter. »

Quand il parlera de cet événement dans son autobiographie, Diego dira : « la tragédie de Frida ».

Toute la vie du couple a été bouleversée par cette naissance avortée. À cause d'elle, Frida s'enfermera de plus en plus dans sa douleur, cherchant en vain des dérivatifs. Seule la peinture parviendra à la maintenir au-dessus du flot, mais au prix de son bonheur de vivre. À partir de cette date, comme le note Diego lui-même, « elle commença à travailler sur une série de chefs-d'œuvre sans précédent dans l'histoire de l'art — des peintures qui exaltaient les qualités féminines d'endurance face à la vérité, la réalité, la cruauté et la souffrance. Aucune femme n'avait su mettre tant de poésie torturée sur une toile comme Frida l'a fait à ce moment-là à Detroit[1] ».

Durant les semaines qui suivent la fausse couche, Frida peint et dessine sans arrêt. La peinture est pour elle le moyen d'échapper à l'angoisse du réel, chaque dessin, chaque

1. Diego Rivera, *My Art, my Life, op. cit.*, p. 202.

tableau étant comme une lettre qu'elle adresse à ceux qui l'entourent. Ainsi l'autoportrait *Entre deux mondes,* qui est une mise en scène de sa propre vie, déchirée entre le Detroit industriel de Diego et l'amour qu'elle ressent pour le Mexique, ou bien ces dessins faits d'un seul trait où elle trace les hiéroglyphes du rêve, l'horreur réelle vécue dans la salle d'hôpital : la ligne des bâtiments du centre de Detroit, l'œuf fécondé, le visage de Diego flottant comme un astre, et le ciel qui pleure.

Durant l'été et l'automne, Diego Rivera travaille avec une sorte de fureur sacrée à la naissance des fresques. Il se hâte, pour profiter de la lumière du soleil qui commence déjà à décliner. Le travail collectif est celui d'un véritable orchestre que dirige le peintre, à la manière des ateliers de la Renaissance italienne. Edsel Ford, qui assiste aux préparatifs, puis à la réalisation, est impressionné par le professionnalisme de Rivera et par la technique de la fresque. Les échafaudages montés dans la cour de l'Institut sont occupés la nuit par les ouvriers plâtriers qui couvrent les murs à partir de minuit — afin qu'au petit matin les assistants — Clifford, Lucienne Bloch — puissent tracer au stencil les contours de la composition et appliquer les premières couleurs. Au lever du jour, Diego monte à son tour sur les échafaudages et réalise le des-

sin définitif, les ombres, les nuances de couleur
sur le plâtre encore humide. Il travaille seul tout
le jour, parfois jusqu'à la nuit, sans repos, ses
pinceaux montés sur de longues tiges de bois.

Le résultat est prodigieux. Jour après jour
prennent naissance les images puissantes qui
transforment les murs de l'Institut d'art en un
hymne à la création humaine. Chaque caisson,
chaque espace du vieux palais néo-classique est
occupé par une forme qui se relie à l'histoire
générale de la civilisation moderne. À la porte
ouest, qui donne sur l'escalier intérieur, où
apparaît l'enfant germe de l'histoire humaine,
au milieu des déesses-femmes de l'agriculture,
répond la porte de l'est, entourée par les images
brutales des tuyères et des mécanismes du
monde ouvrier. Les peintures murales des murs
nord et sud sont d'immenses tableaux où le
regard se perd, qui racontent la prodigieuse histoire de l'ère industrielle : ondulation des
rivières, des strates géologiques, des courants
électriques qui unissent toutes les étapes de
l'humanité, mains géantes qui arrachent au
monde réel les métaux durs pour la fabrication
de l'acier rapide (tungstène, nickel, molyb-
dène), et la bouche dévorante des hauts fourneaux semblables à un volcan. Les races
humaines symbolisées par les matières élémen-
taires — chaux, sable, charbon, cuivre et les dif-
férents niveaux de recherche industrielle, médi-

cale, militaire — se heurtent et s'harmonisent sur les murs dont la partie supérieure est occupée par les effigies éternelles de l'être humain, à la fois hommes et femmes, et par les mains crispées des travailleurs — ces mains peintes par Michel-Ange, prêtes à la vengeance, ou divines comme le doigt tendu du Créateur.

Chaque détail de ces peintures est à lui seul un tableau, et l'ensemble ouvre sur une profondeur vertigineuse, telle une fenêtre sur l'immensité de l'histoire passée et future. Jamais Diego Rivera n'a accompli un travail mural plus puissant, plus ambitieux. Utilisant toutes les techniques de la peinture, du classicisme jusqu'aux illusions de perspective du cubisme et à l'expressionnisme — décalquant parfois littéralement la violence du réel avec une exactitude photographique —, Diego Rivera réussit à faire tenir dans l'espace réduit de la cour de l'Institut d'art l'extraordinaire fourmillement de cette épopée humaine tendue vers la réalisation, détournée de la mort, séquence ininterrompue de souffrances et de jouissances, de démons et de voluptueux anges créateurs. Jamais non plus il n'a mis autant de lui-même, transcendant à la fois sa ferveur révolutionnaire, en l'inscrivant dans ce cadre limité, au cœur même de la zone la plus chaotique du monde, et sa propre souffrance dans laquelle, uni à Frida, il met véritablement au monde le seul enfant qu'ils puissent avoir ensemble.

Diego Rivera et Frida Kahlo quittent Detroit une semaine avant l'inauguration des fresques. Les premières réactions des journalistes — écho naturel de la bonne société de Detroit — leur ont laissé présager l'orage. Critiques violentes des bigots, mobilisés par le révérend Ralph Higgins et le jésuite Eugene Paulus, offensés par certains détails de ses peintures — la scène de vaccination d'un enfant, présentée comme une parodie de Nativité dans laquelle le bœuf et l'âne sont les pourvoyeurs de sérum —, levée de boucliers des organisations féminines — l'école de jeunes filles de Marygrove et les clubs catholiques — contre les peintures de femmes nues, « insulte directe à la féminité américaine [1] », et surtout le climat général de ces peintures, hymnes à la révolution ouvrière, qui évoquait, par les symboles des poings fermés et des étoiles rouges, le cauchemar de l'Internationale communiste.

Quand le scandale éclate, Diego et Frida sont déjà à New York où le peintre a été sollicité pour décorer la grande salle de Radio City, le futur Centre Rockefeller. En quittant Detroit, Diego a laissé un message à la fois attristé et orgueilleux à tous ceux qui condamnent sa peinture : « Si l'on détruit mes fresques de

---

1. Diego Rivera, *Detroit dinámico*, in Alicia Azuela, *Diego Rivera en Detroit*, UNAM, Mexico, 1985, doc. 10.

Detroit, j'en ressentirai une douleur profonde, parce que j'ai mis en elles une année de ma vie et le meilleur de mon talent. Mais, demain, je serai occupé à en créer d'autres, car je ne suis pas simplement un "artiste", mais plutôt un homme qui réalise sa fonction biologique de produire des peintures, comme un arbre produit des fleurs et des fruits et ne se plaint pas de perdre ce qu'il a fait chaque année, puisqu'il sait qu'à la prochaine saison il recommencera à fleurir et à porter des fruits[1]. »

1. Diego Rivera, *Detroit dinámico*, in Alicia Azuela, *op. cit.*, doc. 10.

UNE BATAILLE À NEW YORK

Au début du mois de mars 1933, Diego et Frida débarquent en gare de New York, accueillis par les bourrasques de l'hiver et fuyant l'autre bourrasque qui souffle sur la cour intérieure de l'Institut d'art de Detroit. Emmitouflée de fourrures, Frida a quitté sans regret la ville industrielle à laquelle sont rattachés tant de mauvais souvenirs. Mais son bref séjour à Mexico, où elle est allée assister à la mort de sa mère, et l'atmosphère tragique qui régnait à la maison de Coyoacán ne sont pas non plus des souvenirs agréables. Et puis, il y a l'impatience qui chaque fois s'empare de Diego à la veille d'accomplir une nouvelle tâche.

Alors qu'il était en train de préparer les fresques de l'Institut d'art, Diego avait reçu par l'entremise de Mrs. Paine une offre qui l'avait enthousiasmé : participer à la décoration de Radio City, le nouveau centre culturel et artistique que John Rockefeller Jr. était en train de

faire construire au cœur de New York. Une première demande, adressée conjointement à
Matisse, Picasso et Rivera, a été refusée par les
deux premiers et acceptée par Diego à condition qu'il n'ait pas à présenter de dossier
d'admission — « pas de compétition », a-t-il
écrit à l'architecte du Centre, Raymond Hood.
Nelson Rockefeller, le fils de John Jr., avait
acheté plusieurs tableaux du peintre mexicain,
et son épouse Abby, une femme brillante, sensible et raffinée, était l'une des ferventes admi-
ratrices de Rivera. (Elle lui a même commandé
le portrait de sa fille Babs, alors âgée de treize
ans.) Grâce à Nelson et Abby — en dépit de la
mauvaise grâce de Raymond Hood qui voulait
imposer à Diego Rivera des peintures sur toile
en noir et blanc — à quoi Diego répondit qu'on
risquait de donner au Centre le surnom de
« palais des Fossoyeurs » ! —, Rivera fut chargé
de la plus grande partie du chantier : la décoration de la grande salle des ascenseurs, dans le
hall d'entrée ; plus de mille pieds carrés (environ cent mètres carrés) pour un devis forfaitaire
de vingt et un mille dollars.

Ce chantier formidable, dans un lieu aussi
prestigieux, au cœur de la plus grande ville du
monde, était pour Diego la chance de sa vie. Il
n'avait pas encore terminé les fresques de
Detroit, et déjà il élaborait les plans pour les
peintures de New York. La commission chargée

de choisir les œuvres qui allaient accompagner la construction du Centre avait imposé un thème quelque peu pompeux, mais qui avait tout de suite parlé à l'imagination du peintre : « L'Homme, à la Croisée des Chemins, envisage avec espoir et dans une vision élevée un Avenir Nouveau et Meilleur ». Pour Diego, en tout cas, c'était le commencement d'une nouvelle aventure, sans doute la plus grande confrontation avec le public dont il eût jamais rêvé.

Après la création des fresques de Detroit, le projet du Centre Rockefeller recelait pourtant quelque chose d'ambigu qui aurait pu faire réfléchir le peintre révolutionnaire que se voulait Diego Rivera. À Detroit, malgré la présence du patriarche Henry Ford, l'homme le plus riche du monde, et les conditions de vie difficiles des ouvriers de l'usine, il y avait la force réelle des machines, une puissance créatrice tangible sous la forme des immenses parcs automobiles, des laboratoires, des wagons livrant la matière première aux hauts fourneaux, tout un univers à la fois réaliste et fantastique, où se mêlaient le passé le plus lointain et l'avenir de l'homme, et dont Diego avait su exprimer la poésie, d'une façon presque romantique. La force révolutionnaire du peintre n'avait pas eu besoin de symboles ni d'idées : les seules vues de la réalité, des machines-outils et des hommes suffisaient à parler — et ce qu'elles disaient

avaient en effet suffi à choquer les réactionnaires de Detroit.

Mais à New York, il n'en allait pas de même.
Le Centre Rockefeller (appelé encore Radio
City, parce qu'il devait abriter les chaînes de
radio dont la prestigieuse Radio Corporation
Association) était un projet terriblement ambitieux qui se réalisait au cœur même de la crise
économique, alors que les rues de New York
étaient pleines de miséreux et de sans-abri, et
que les queues s'allongeaient devant les soupes
populaires. Conçu primitivement pour loger le
Metropolitan Opera, au lendemain de l'effondrement de 1929 il avait bien fallu, alors que le
projet avait été abandonné, trouver une utilisa-
tion à cet immense terrain au centre de Manhattan. Le coût de la construction s'élevait à
cent vingt millions de dollars, et la seule loca-
tion du sol à trois millions trois cent mille dollars annuels. John Rockefeller Jr. réussit à se
tirer d'affaire en sous-louant une partie du sol à
des compagnies privées. L'ensemble prévu for-
mait le plus grand complexe capitaliste du
monde, symbole même de la puissance de
l'argent. Il fallait à Diego Rivera beaucoup de
courage ou beaucoup d'inconscience pour se
lancer à l'assaut de cette forteresse coffre-fort.

Le nom des Rockefeller n'était pas non plus
un nom comme les autres. Si Diego pouvait
raconter qu'il avait vu, lors de son voyage en

Union soviétique, dans l'intérieur d'un ouvrier, accrochés au mur côte à côte, les portraits de Lénine, de Staline et de Henry Ford, il ne pouvait guère ressentir d'admiration pour le milliardaire John Rockefeller, cet homme d'argent dur avec les autres comme avec lui-même, qui n'avait vécu que pour le profit et avait construit méthodiquement, avec une obstination de fourmi, un immense empire d'affaires. Du reste, c'est son portrait que Diego avait peint sur les murs du patio des Fêtes du ministère de l'Éducation à Mexico, pour symboliser la cupidité et l'immoralité du capitalisme.

Dans la mémoire de tous les hommes de progrès, le nom de Rockefeller et celui de la Standard Oil restaient associés au « massacre de Ludlow », quand, le 20 avril 1914, la milice de la Fuel & Iron Company de l'État du Colorado avait ouvert le feu sur les ouvriers grévistes, en tuant quarante et causant la mort par brûlure de deux femmes et de leurs enfants réfugiés dans les bâtiments de la mine. L'insurrection généralisée qui avait suivi le massacre avait failli dégénérer en révolution, et le président Woodrow Wilson avait dû envoyer la troupe pour rétablir l'ordre. L'homme qui avait eu à résoudre les graves événements de Ludlow était John Rockefeller Jr., le père de Nelson, celui-là même qui avait conçu le projet du Centre Rockefeller — et c'était lui qui était devenu, pour les intellectuels de gauche, le symbole de la droite la plus haïssable.

Pourtant, en dépit des réticences de Frida, Diego passa outre et accepta le chantier. Pour lui, sa participation au Centre avait deux justifications qu'il mettait au-dessus de tout conformisme politique. Le Centre était une gigantesque architecture commune à tous les New-Yorkais. Dans l'idée de Diego, les soixante-quinze mille ouvriers employés à la construction étaient propriétaires de cette œuvre colossale, à la mesure de la force du prolétariat américain. En outre, en offrant à Diego les murs du hall, les Rockefeller lui donnaient l'occasion d'écrire une page de l'histoire universelle qui durerait bien au-delà des contradictions et des injustices, comme les monuments égyptiens ou toltèques avaient survécu aux tyrannies qui les avaient élevés.

Le plan de travail qu'il communiqua à l'architecte Hood et à Nelson Rockefeller était dépourvu d'ambiguïtés : il entendait, à travers le thème proposé, mettre en évidence le pouvoir nouveau des travailleurs et la force irrésistible du progrès. Malgré son caractère révolutionnaire, ce projet reçut l'aval de l'architecte et celui de Nelson Rockefeller. La tempête déclenchée par les fresques de Detroit n'avait nui en aucune façon à la réputation de Diego, qui fut reçu avec beaucoup de chaleur par les New-Yorkais.

Le couple s'installe de nouveau à l'hôtel Barbizon-Plaza, dans le même appartement qu'à sa première arrivée à New York. Après les semaines de voyage et l'atmosphère lugubre de Coyoacán, Frida est bien décidée à s'amuser. Avec son amie Lucienne Bloch, elle se livre à toutes sortes de plaisanteries, dont les victimes sont les femmes du beau monde, ces *old biddies* (ces vieilles chèvres). Les photos prises par Lucienne dans la chambre de l'hôtel Barbizon montrent une Frida qui a recouvré quelque chose de l'expression moqueuse du temps des *Cachuchas* : le sourire narquois, l'œil provocateur, déguisée en Chinoise, la tête coiffée d'un abat-jour.

Les journalistes qui entourent le peintre sont aussi sa proie favorite. À l'un d'eux qui l'interroge sur les passe-temps de Diego, elle répond simplement : « Faire l'amour[1]. » Déjà, à Detroit, avant son départ pour New York, elle avait fait une déclaration fracassante dans laquelle elle affirmait qu'elle-même était un peintre bien plus important que Rivera. Avec Lucienne Bloch et Cristina Hastings, elle parcourt longuement Chinatown, achète des bibelots, se déguise avec les robes chics et les grands chapeaux de la mode 1930 pour marcher sur la Cinquième Avenue. En fait, sous son apparente gaieté, elle cache une détresse profonde, une mélancolie

1. In Hayden Herrera, *op. cit.*, p. 163.

grandissante qui empoisonnent son existence depuis la perte de son enfant, à l'hôpital de Detroit, et la mort de sa mère.

Elle peint aussi, maintenant, avec le même acharnement que Diego met à couvrir les murs du hall de Radio City. Elle achève plusieurs de ses tableaux les plus inquiétants : la représentation de sa naissance, exorcisme de la mort de sa mère et de la perte de son propre enfant, et l'étrange collage de la robe indienne vide flottant devant le paysage new-yorkais — *Allá cuelga mi vestido* (Ma robe est suspendue là-bas) —, où les objets les plus laids et les plus vils de la réalité américaine sont exposés, poubelle débordante, cheminées empoisonnant l'air, et ce siège de w.-c. trop blanc posé sur une colonne. Dans ce tableau, le poète Salvador Novo verra l'emblème même de l'indianité de Frida, comme un défi au monde industriel : « La chemise de la Tehuana mise à sécher a pissé sur toute la rivière Hudson. »

C'est à New York qu'elle peint l'un de ses autoportraits les plus accomplis, où elle apparaît dans toute son extraordinaire beauté dans un halo de lumière dorée, portant sur son masque impassible les signes secrets de sa solitude, l'ombre qui creuse le regard, cette petite lueur dans les prunelles très noires, et autour de son cou le lourd collier de perles de terre cuite qui l'unit aux temps des anciens sacrifices de l'Amérique indienne.

Diego s'est mis au travail avec une sorte de fureur qu'il n'a jamais encore éprouvée. Le défi que lui a lancé la Commission directrice du Centre Rockefeller est bien à la mesure de l'Amérique, où se trouvent les plus grands chantiers du monde. Entre mars et mai, Rivera ne dispose que de deux mois pour peindre les fresques du hall de Radio City. La date du Premier Mai, choisie pour l'inauguration, a valeur de symbole pour le peintre, qui veut unir les États-Unis à la grande Révolution russe. Le salaire élevé que lui a offert le Centre Rockefeller lui permet d'engager une équipe importante qui prépare les murs, trace les contours, l'aide à brûler les étapes. (En plus de Lucienne Bloch, il a pour assistants le peintre Dimitroff, de l'Institut d'art de Detroit, Ben Shahn, Lou Bloch, et le Japonais Hideo Noda.) Encadré par les peintures médiocres de Brangwyn et de Sert, le gigantesque triptyque éclate dans l'expression de toute l'aventure humaine depuis la chute des dieux et la naissance de la science, jusqu'à l'abolition de la tyrannie et la prise du pouvoir par le peuple.

Au centre du panneau principal, un ouvrier aux commandes d'une machine est à l'intersection de deux ellipses qui évoquent les deux infinis, le macrocosme et le microcosme. De chaque côté des machines, les hommes et les

femmes sont saisis dans leurs mouvements de
lutte pour la libération. La fresque dégage une
impression de violence et de puissance sombre
où vibrent les taches rouges de la Révolution.

Au fur et à mesure que le projet se développe,
se révèlent les véritables intentions de Diego
Rivera — la raison de sa fureur impatiente, de
sa puissance de travail. Un journaliste du *World
Telegram* déclenche le premier tir de barrage en
titrant, à la suite d'une visite au chantier :
« RIVERA PEINT DES SCÈNES D'ACTIVISME COMMU-
NISTE ! » La description qu'il fait des fresques
soulève la curiosité, puis la colère des premiers
visiteurs. La peinture est encore inachevée, et
déjà la tempête souffle sur le Centre Rockefeller. Nelson Rockefeller lui-même est choqué par
la violence des allégories du peintre qui montre
le capitalisme sous l'aspect de la tyrannie, de la
répression policière, de « requins de finance
dégénérés et de filles de joie atteintes de syphilis
tertiaire[1] ». Ce qui lui semble inacceptable, c'est
le visage de Lénine, que Diego Rivera, au dernier instant, a substitué à celui de l'ouvrier anonyme qui unit dans une étreinte fraternelle les
mains d'un Noir américain, d'un paysan d'Amérique latine et d'un soldat russe, « les alliés du
futur[2] », ainsi que l'explique Diego lui-même.

1. Peter Collier & David Horowitz, *The Rockefeller*, New York,
1976, p. 205.
2. Diego Rivera, *My Art, my Life, op. cit.*, p. 205.

Tout comme la scène parodique de la Nativité
avait été à l'origine de la tempête de Detroit, le
visage de Lénine est la cause principale du scandale au Rockefeller Center, mais, cette fois,
Diego Rivera est pris de court, et ne peut s'y
soustraire.

Nelson Rockefeller écrit le 4 mai au peintre
pour lui demander d'effacer le visage « qui
pourrait aisément offenser une grande quantité
de gens », et lui propose de lui substituer « un
visage anonyme ». Placé devant ce qu'il ressent
comme un ultimatum, le peintre consulte ses
assistants et ses amis : « L'artiste n'a-t-il pas le
droit d'utiliser les modèles qu'il désire pour ses
peintures ? » Bertram Wolfe, qui a appartenu au
Parti communiste, comme Rivera (il a même été
« agit prop » du Parti communiste américain
dans les années 1925), conseille au peintre la
prudence et lui suggère de remplacer le visage
de Lénine par celui d'Abraham Lincoln, afin de
« sauver le reste de la peinture ». Mais l'entou-
rage de Diego fait pression sur lui pour qu'il ne
cède pas.

Il est possible que Frida ait joué un rôle déter-
minant dans ce choix. Par amour pour Diego,
elle l'a suivi dans sa séparation d'avec le Parti
communiste, mais elle est restée fidèle à l'idéal
révolutionnaire et n'a jamais vraiment accepté
la compromission que supposait cette collaboration avec la famille Rockefeller. L'antipathie

profonde que lui inspire la société nord-américaine, et son orgueilleuse réaction de refus ont
certainement influencé Diego Rivera qui a une
confiance absolue dans les décisions que prend
sa femme. N'a-t-il pas affirmé à Anita Brenner,
qui l'interviewait pour le *New York Times* à son
arrivée à New York, que « sa femme et Marx
l'ont guéri de l'imaginaire flamboyant et gratuit
de sa période baroque » ? Toujours est-il qu'il
adresse deux jours plus tard à Nelson une lettre
qui riposte à la tentative de conciliation par un
radicalisme intransigeant : « Je suis sûr, dit-il,
que les gens capables d'être offensés par le portrait d'un grand homme disparu, seraient également offensés, étant donné leur mentalité, par
l'entière conception de ma peinture. C'est
pourquoi, plutôt que de la mutiler, je préfére-
rais encore la complète destruction physique de
cette conception, afin d'en préserver au moins
l'intégrité morale[1]. »

La décision est coûteuse pour Diego Rivera,
et il sait, au moment où il envoie cette réponse,
que l'affrontement est inévitable. Mais son geste
— il sacrifie en quelque sorte sa peinture à son
idéal politique — est aussi un acte d'amour
envers Frida. En elle il voit l'incarnation même
de l'héroïsme mexicain, l'esprit de Juárez et de
Zapata opposé à la formidable puissance du

1. Bertram Wolfe, *The Fabulous Life of Diego Rivera*, New York, 1963, p. 326.

capitalisme nord-américain. Au surplus, en refusant de céder à la pression de Rockefeller, Diego Rivera n'a jamais été plus logique avec lui-même, avec le sens qu'il entend donner à la peinture murale, expression d'une prise de possession de l'art par le peuple. Cette peinture qu'il avait définie dès 1925 : « Quelque chose qui appartient au peuple à qui elle est destinée[1]. »

Pressentant l'issue du conflit, Rivera — malgré l'interdiction de Rockefeller, qui a recours à la milice armée pour interdire l'accès du Centre — fait prendre des photos de la fresque (Lucienne Bloch passe son appareil caché sous ses vêtements). Frida et Diego sont ensemble sur les échafaudages lors de l'assaut final du 9 mai. Sous la direction du « grand plénipotentiaire capitaliste », Mr. Robertson, les gardes font sortir de force le peintre et ses assistants, et recouvrent la fresque d'un cache fait de toiles tendues sur cadres. L'entrée du hall est fermée par une lourde bâche, et la police montée empêche les rassemblements autour du Centre, comme si, ironise Diego, « toute la cité, avec ses banques et ses agents de change, ses immeubles et ses résidences de millionnaires, allait être détruite par la seule présence d'une image de Vladimir Ilitch[2] ».

1. Diego Rivera, in *El Arquitecto*, série II, Mexico, septembre 1925.
2. Diego Rivera, *Portrait of America, op. cit.*, p. 27.

L'espace d'un instant, Diego Rivera espère mobiliser l'opinion en faveur de son art. Il multiplie les déclarations et reçoit le soutien d'artistes du monde entier. Sur les ondes d'une radio de New York, il pose la grande question : « Prenons, par exemple, le cas d'un millionnaire américain qui achèterait la chapelle Sixtine, où se trouve l'œuvre de Michel-Ange... Aurait-il le droit de détruire la chapelle Sixtine ? » Et il affirme cet autre droit, réellement reconnu au Mexique, qui est synonyme de démocratie : « Nous devons tous reconnaître que, dans la création humaine, quelque chose appartient à l'humanité dans son ensemble, et qu'aucun individu n'a le droit, sous prétexte qu'il en est propriétaire, de la détruire ou de la garder pour son seul plaisir[1]... »

Malgré l'échec, Diego ne reste pas inactif. Il utilise l'argent versé par la Fondation Rockefeller pour peindre une copie des fresques de Radio City dans les locaux de la New Workers School, dont son ami Bertram Wolfe est le directeur. Ainsi est-il sûr qu'il restera quelque chose de son message révolutionnaire au cœur de la ville la plus capitaliste du monde. Frida l'accompagne partout, sur le chantier et dans les manifestations publiques. À l'université de Columbia, elle est avec Diego sur le podium pour soutenir la cause d'un communiste. Elle

1. Diego Rivera, *My Art, my Life, op. cit.*, p. 210.

est assise « très raide », « pareille à une princesse aztèque[1] », tandis que le peintre exhorte les étudiants à se rebeller :

« On a dit que la révolution n'a pas besoin de l'art, mais que c'est l'art qui a besoin de la révolution. Cela n'est pas vrai. La révolution a besoin de l'art révolutionnaire. L'art n'est pas pour un révolutionnaire ce qu'il est pour un romantique. Il n'est pas un stimulant ni un excitant. Il n'est pas une liqueur enivrante. Il est un aliment pour nourrir le système nerveux. Il est un aliment pour la lutte. Il est un aliment comme le blé[2]. »

Mais la révolution rêvée par Diego Rivera n'aura pas lieu. L'Amérique referme ses portes. Six mois après l'intervention des gardes armés dans le hall de Radio City, Nelson Rockefeller donne des ordres pour que les fresques soient détruites à la sauvette. Seule, la presse mexicaine s'indigne, et l'*Universal* titre : « L'Art assassiné ». Pourtant, malgré cette destruction, Rivera sort d'une certaine manière grandi de l'épreuve, car l'allégorie révolutionnaire quitte ainsi le domaine de l'abstraction : en disparaissant, les peintures du hall de RCA entrent véritablement dans la réalité. Comme le dit le peintre lui-même dans son *Portrait de l'Amérique*,

---

1. Hayden Herrera, *op. cit.*, p. 168.
2. « El arte y el trabajador », *Workers Age*, New York, 15 juin 1933.

« des dizaines de millions de personnes furent informées que l'homme le plus riche de la nation avait ordonné que soit oblitéré le portrait d'un homme nommé Vladimir Ilitch Lénine, parce qu'un peintre l'avait représenté sur une fresque comme le leader guidant les masses opprimées vers un nouvel ordre social fondé sur la suppression des classes, l'organisation de la société, l'amour et la paix entre les hommes, au lieu de la guerre, du chômage, de la famine, et de la dégénérescence du désordre capitaliste[1]. »

Assez étrangement, la « bataille du Centre Rockefeller », au lieu de renforcer l'amour entre Diego et Frida, marque le commencement de leur rupture. Au cours des mois qui suivent l'exaltation de la création des fresques de Radio City et la crise brûlante qui oppose Diego Rivera au pouvoir de la famille Rockefeller, le peintre traverse une période de dépression. Ce qu'il réalise, au fond, c'est ce que Frida a ressenti dès le début, la très grande solitude qui est la sienne à New York. Ses amis — Bertram Wolfe, Lucienne Bloch, Sánchez Flores, Arthur Niedendorff — sont peu nombreux et impuissants. Le soutien de la presse mexicaine, dans les articles vengeurs de José Juan Tablada,

---

1. Diego Rivera, *Portrait of America, op. cit.*, p. 27.

et les articles d'Anita Brenner dans le *New York Times* ne suffisent pas à restaurer sa confiance.

Frida connaît aussi les moments les plus sombres de son séjour à New York. La chaleur de l'été l'incommode et son pied droit, malmené par l'accident et les opérations, l'empêche de se déplacer. Tandis que Diego est occupé à réaliser les vingt et une fresques mobiles destinées à la New Workers School, elle se morfond dans l'appartement qu'ils ont loué sur la 13e Rue, près du nouveau chantier. Diego y reçoit tous les soirs et flirte avec les jeunes femmes qui lui servent de modèles, ou qui prétendent lui apprendre l'anglais. Il ne cache pas son attirance pour une jeune artiste peintre qui habite le même immeuble et lui rend visite sur le chantier : Louise Nevelson, née à Kiev en 1899, de son nom de jeune fille Berliawska, Juive émigrée avec sa famille. Elle est divorcée et libre, et Frida en est tout de suite jalouse. Avec son amie Marjorie Eaton, Louise devient l'assistante de Rivera. Du peintre, qu'elle décrit avec sympathie, et de Frida, elle dit la générosité illimitée. Plus tard, dans *Dawns and Dusks*, son livre de souvenirs, elle racontera la vie à New York, cette vie brillante, où chaque jour était une fête, où il y avait « de la grandeur ». De Frida, elle fait ce rapide portrait : « Elle savait ce qu'elle voulait dans la vie, et c'est cette vie-là qu'elle vivait. »

L'ogre de Mexico et de Montparnasse, grand dévoreur de femmes et grand affabulateur, est de nouveau en exercice. Et Frida n'en ressent que davantage sa solitude, l'enfermement dans sa propre douleur. Comme elle sait si bien le faire, elle brave l'épreuve, en alternant les moments de repli sur soi et la poudre d'or du charme et de la séduction. Elle dessine sa solitude, l'emprisonnement dans la grande ville : la vue de sa fenêtre, les gratte-ciel, les rues quadrillées comme un labyrinthe. Elle peint sa nostalgie, l'échec de sa vie affective et la haine qu'elle ressent d'elle-même sur un panneau de plâtre où elle s'exerce à l'art de la fresque. Autour de son visage, elle écrit *UGLY*, *FEA*, puis elle le brise en le jetant à terre. C'est ce masque brisé, cette image pareille à un morceau détaché de ruines, qui parle le mieux de Frida et de Diego.

À son amie Isabel Campos, elle écrit sa détresse dans sa chambre de l'hôtel Breevort, son désir de Mexique : « 16 novembre 1933 (New York). *Chabela linda*, voilà un an que je n'ai reçu une seule parole de toi, ni rien des autres. Tu peux imaginer quelle année ç'a été pour moi ici, mais je ne veux pas en parler, parce que je ne peux rien avoir, et rien au monde ne pourra me consoler [...]

« Moi, ici, à *Gringolandia*, je passe ma vie à rêver de retourner au Mexique, mais pour le travail de Diego il est absolument nécessaire que nous restions. New York est très beau, et je me plais beaucoup plus qu'à Detroit, mais bien sûr Mexico me manque [...]. Hier, il a neigé ici pour la première fois, et très vite il va faire un froid à t'emporter la... chose des filles, mais il n'y a rien d'autre à faire que mettre des caleçons de laine et supporter la neige [...]. Moi, quand j'arrive, il faut que tu me fasses un festin de *quesadillas* de fleurs de courgette avec mon *pulque*, et rien que d'y penser j'en ai l'eau à la bouche[1]. »

Lui manquent surtout la chaleur humaine, l'humour noir des Mexicains, leur sensibilité jusque dans la méchanceté, leur façon de rire jusque dans le meurtre. Ce qu'elle méprise chez les Yankees, c'est avant tout leur morgue, leur orgueil, leur froideur protestante. Quelques années plus tard, elle dira sans ambages à son confident habituel, le docteur Leo Eloesser : « Je n'aime pas les *gringos*, avec toutes leurs qualités et tous leurs défauts, qui sont nombreux, leur façon d'être, leur puritanisme dégoûtant [...]. Cela m'irrite que la chose la plus importante à Gringolandia soit d'avoir de l'ambition, de réussir à devenir "quelqu'un", et franchement, je n'ai pas la plus petite ambition d'être quelqu'un, je méprise leur orgueil, et être le *gran caca* ne m'intéresse pas le moins du monde[2]. »

1. In Raquel Tibol, *op. cit.*, pp. 53-54.
2. In Hayden Herrera, *op. cit.*, pp. 171-172.

À la nostalgie se mêle l'amertume de la solitude. Diego Rivera repousse sans cesse le moment de retourner au Mexique, d'y retrouver les rivalités, les mesquineries, les difficultés matérielles. Avec les panneaux de *Portrait de l'Amérique* qu'il peint pour la New Workers School, il est allé jusqu'au bout de son engagement politique, il est devenu véritablement le peintre révolutionnaire inscrivant ses visions de l'avenir : la menace fasciste, l'espoir de la révolution universelle. Il n'a jamais été si proche du trotskisme.

Au Mexique règnent l'incertitude politique et l'éphémère pouvoir du général Abelardo Rodríguez, dans l'attente des élections et de l'avènement du général Cárdenas. La mort du chef de l'insurrection salvadorienne, César Augusto Sandino, assassiné après Mella par les forces réactionnaires à la solde des États-Unis, a persuadé Rivera que la révolution ne peut venir des pays latins, trop ruraux, et trop près d'un mode de vie médiéval. Seule la masse des ouvriers du nord du continent est capable de bouger et de faire plier les nouveaux Césars.

Pourtant, il cède devant la détresse de Frida. À court d'argent — Louise Nevelson raconte qu'ils n'avaient même plus de quoi payer leurs billets de retour ; leurs amis se cotisèrent pour les leur acheter et les accompagnèrent jusqu'au bateau pour être sûrs qu'ils ne donneraient pas

les billets à quelqu'un —, il s'embarque avec
elle le 20 décembre 1933, sur *L'Orient*, à destination de La Havane et de Veracruz. Il ne leur
reste alors plus rien de l'argent versé par la Fondation Rockefeller, et la plupart de leurs illusions ont été consumées durant cette année
d'exil à New York.

SOUVENIR D'UNE BLESSURE
OUVERTE

Pour Diego, le retour à la terre natale n'a rien à voir avec son arrivée à Veracruz, douze ans plus tôt, après son expérience de l'Europe. Durant tous ces mois passés à New York, les rancœurs et les désillusions se sont accumulées. Une nouvelle fausse couche et le curetage effectué par le docteur Zollinger ont encore affaibli la résistance physique de Frida. Elle entre dans une période où la maladie est un refuge, un compartiment mental. À son vieil ami Alejandro Gómez Arias, qui malgré la rupture est resté son conseiller, son confident, elle écrit : « Ma tête est pleine d'arachnides microscopiques et d'une grande quantité de bestioles minuscules[1]. »

Diego Rivera a repris ses travaux démesurés, les fresques sans fin du Palais National où il trace les grandes étapes de la civilisation indienne du Mexique, la Gran Tenochtitlán des Aztèques, les royaumes tarasque, zapotèque,

1. In Raquel Tibol, *op. cit.*, p. 56.

olmèque, maya. Le souvenir de la fresque per-
due du Centre Rockefeller ne le quitte pas, et
quand il est sollicité, avec Orozco, pour peindre
un panneau dans le palais des Beaux-Arts, il
choisit d'y reconstituer « la peinture assassinée »
en y ajoutant, en guise de vengeance, un portrait de John Rockefeller Jr. figurant dans la
scène du night-club non loin des prostituées et
des « germes des maladies vénériennes[1] ».

Frida, elle, perd pied dans ce Mexique qu'elle
avait tant attendu, tant espéré. Elle retrouve
tout à coup ses vieux démons : la solitude, la
douleur, l'impression d'une fatalité qui plane
sur la maison Kahlo et que la mort de sa mère a
rendue encore plus perceptible. Et puis il y a la
trahison de Cristina.

Commencée peut-être alors que Frida est de
nouveau malade, alitée à la suite de sa fausse
couche, la liaison de Diego avec la jeune sœur
de Frida (elle a juste un an de moins qu'elle) a
quelque chose de monstrueux et d'insupportable. Cristina, beaucoup plus que Matita,
Adriana ou Isolda, est pour Frida un double
d'elle-même : celle qu'elle a le plus aimée et le
plus haïe dans son enfance, avec qui elle a le
plus partagé ; celle qu'elle attendit en vain à
l'hôpital de la Croix-Rouge, après son accident,
celle à qui elle n'a cessé d'écrire durant son exil
aux États-Unis. Cristina, qu'elle a peinte en

---

1. Diego Rivera, *My Art, my Life, op. cit.,* p. 213.

1928, dans un des premiers tableaux qu'elle ait montrés à Diego quand elle a osé l'aborder. Une fille moderne, aux traits fins, plus claire de peau que Frida, et que Diego a représentée avec le même regard pâle que son père sur une des fresques du *Monde d'aujourd'hui et de demain* (sur le mur sud du Palais National), distribuant au côté de Frida des brochures de propagande communiste.

Cristina, qui vit séparée de son mari avec ses deux enfants, installée avec son père dans la maison de Coyoacán, représente alors pour Frida tout ce qui reste de sa famille dont les membres se sont dispersés. En réalité, Cristina a peu de chose en commun avec Frida — une longue rancune, sans doute, qui date du temps de son enfance, quand Frida l'éblouissait par son intelligence, ses audaces, sa vie amoureuse, et cette envie qui l'a maintenant poussée à se laisser séduire par celui-là même dont elle s'était moquée autrefois, quand il était question du mariage de « l'éléphant avec la colombe ». Cristina dont les enfants sont devenus un peu les enfants de Frida, eux qui mettent de la vie dans la maison solitaire de Coyoacán. Pour Frida, elle était la seule avec qui Diego ne devait pas la trahir, la seule qui devait rester son alliée.

La révélation de la trahison, par l'aveu que Cristina elle-même dut lui en faire au cours de l'été 1934, fut comme l'entrée dans un cauche-

mar. Avec son père qui devenait amnésique et
l'impossibilité irréversible d'avoir jamais un
enfant, Frida a désormais tout perdu d'un coup.
Elle n'est pas de nature à supporter le mensonge. Elle décide de briser le masque et se précipite dans sa propre solitude en quittant Diego.
Comme il n'est pas question de revoir Cristina,
elle s'installe dans un appartement de l'avenue
Insurgentes et tente de survivre — elle attend
un geste de Diego, une parole, pour revenir vers
lui, et l'orgueil l'empêche de faire le premier
pas pour sortir de son malheur.

La rupture amoureuse entre Diego et Frida
est beaucoup plus qu'un épisode de leur vie
conjugale. C'est une rupture des masques. Aux
États-Unis, Frida a vécu auprès de Diego une
sorte de parenthèse étourdissante et aveuglante.
Cette société anglo-saxonne qu'elle a tellement
détestée, à Detroit ou à New York, lui a en quelque sorte servi de rempart contre la réalité
mexicaine. Un rempart de clinquant, de décor,
tandis que Diego jouait le rôle du *libertador* et
elle, celui de la princesse aztèque. Mais loin de
tout folklore, de toute naïveté exotique, la réalité mexicaine n'avait pas cessé pour autant
d'exister. Cette réalité, ce n'étaient pas les soirées où on se déguise pour danser la *sandunga*,
ni l'angélisme hiératique des portraits d'une
indianité rêvée, miroirs de luxe que tous les
grands photographes ont tendus vers elle,

d'Imogen Cunningham à Edward Weston, de
Nickolas Muray à Lola et Manuel Alvárez Bravo.
La réalité, c'est ce qui est là-bas, de l'autre côté
de la frontière, quand on franchit les rives poussiéreuses du Rio Grande. Toutes ces douleurs
qui brûlent la mémoire, et ces blessures réelles,
ces regards des mendiants et des enfants
effrayés, et l'or qui rutile au fond des maisons
des riches comme autour des tabernacles, les
soldats-vagabonds de la révolution la plus
bafouée de l'histoire des hommes, et la lente
cruauté de chaque jour, les femmes ployées sous
les fardeaux, leurs mains durcies, leurs regards
lavés par la vie sans espoir, sans paroles, comme
des bijoux usés par un temps immémorial.

C'est pourquoi elle tient tant à revenir, Frida,
pour retrouver tout cela, qui est son apparte-
nance, même si elle sait que Diego ne sera pas
différent des autres hommes.

Dire la trahison de Diego, qui trompe Frida
avec sa propre sœur, c'est dire la fatalité de la
souffrance féminine dans l'histoire mexicaine
de ce temps-là. Diego ne fait que reconstruire
autour de lui le drame familial qu'il a connu
dans son enfance. Doña Maria, sa mère, souffrit
toute sa vie des incartades amoureuses de son
mari, qui pratiquait la coutume de la *casa chica*,
l'autre maison où l'homme retrouve sa maîtresse. Elle avait cherché en vain le soutien de
son fils, allant même le rejoindre jusqu'en

Espagne, et dut vivre repliée sur son malheur,
n'y faisant que de rares allusions, comme sur la
dédicace amère de la photo qu'elle adressa à
son premier petit-fils, Diego, fils de Diego et
d'Angelina, « pour le premier anniversaire de sa
naissance », — où elle évoque les sacrifices
immenses et les humiliations conjugales qu'elle
endura « afin de ne pas causer le malheur de ses
enfants[1] ».

Pour Diego, cette liberté sexuelle est nécessaire, elle est l'aliment même de son art et une
des expressions de la révolution. Mais il s'agit de
tout autre chose que l'immoralisme antibour-
geois imité de la bohème parisienne. Pour
Diego, la recherche du corps des femmes est
essentielle. Comme pour Gauguin ou pour
Matisse, il lui faut cette identification joyeuse
avec la femme, cette permanente proximité physique. La beauté du corps féminin, la beauté des
modèles, est le symbole de la violence créatrice
de la vie, de la réalité de la vie face à toutes les
idées et impuissances de l'intellect. Toute sa
peinture exprime cette confiance absolue dans
la jouissance, dans la force de la vie, dans la
radiance de la beauté féminine, opposée aux
instincts de mort et de guerre des hommes.

On a beaucoup parlé de l'appétit inextin-
guible de Diego pour la chair, de sa poursuite
effrénée du plaisir et de la jouissance. Mais

1. Angelina Beloff, *op. cit.*, p. 60.

Diego n'est pas cela uniquement. C'est aussi un ascète qui mange peu — seulement des fruits, pratiquement ni féculents ni viande — et ne boit que de l'eau minérale. C'est un homme capable de travailler dix-huit heures d'affilée sur un chantier, qui multiplie les activités et semble ne jamais dormir.

Dans le corps des femmes, il puise avant tout les formes pour sa peinture, ces formes qu'il modèle avec la jouissance du sculpteur. Comme Matisse, comme Cézanne, il cherche dans les arrondis, les contours très doux, très amoureux, l'équilibre dont le monde a besoin pour annuler sa destinée tragique. Tout au long de sa vie, c'est ce qu'il exprime dans ses tableaux, ses peintures murales. La guerre, l'esclavage des pauvres et la méchanceté des puissants sont battus en brèche par les formes des femmes lovées dans les caissons de Detroit, leurs rondeurs mêlées à celle des fruits et à l'ondulation créatrice des forces de la terre. Aucun peintre n'a exprimé avec autant de conviction la complémentarité du masculin et du féminin, de la guerre et de l'amour, des forces solaires et des forces lunaires. Le corps de Diego lui-même est à l'image de cette double nature. Le géant est fait de rondeurs, à la laideur de son visage s'oppose la beauté de ses yeux, à sa violence sa tendresse amoureuse. Lui-même, pour plaisanter, allait jusqu'à dire qu'il était à la fois homme et femme, et en guise de preuve montrait ses seins.

Au monde dur et agressif du Nord — le monde industriel, fabriquant les armes et les outils, le monde réel de Detroit et de New York — Diego oppose, dans toute son œuvre, ces formes qu'il recherche, ces lignes dansantes, ces courbes si pures, que Matisse trouvait dans la contemplation des femmes. Ce sont les enfants peints par Diego, arrondis et lovés sur eux-mêmes comme les amulettes olmèques, les fillettes aux visages lisses comme des pierres, aux yeux pareils à des gouttes d'obsidienne ; les corps nus des Indiennes de Tehuantepec sur la plage, la peau brillante, le dos large des femmes du peuple, leurs seins lourds, cette ligne vertigineuse qui va de la nuque aux seins et dans laquelle se creusent la force mystérieuse du désir, la vague sexuelle, l'orgasme et le jaillissement de la vie.

Pour Frida, l'amour est exclusif, l'amour est comme une religion. Elle ne peut accepter de partager Diego avec une autre femme, surtout si cette femme est sa sœur. Ce n'est pas instinct de possession, c'est plutôt cette religion du couple qu'elle a créée avec Diego, et qui est sans compromission. Frida n'est ni doña Maria, ni la pauvre *Quiela*, Angelina Beloff. Elle ne peut accepter le mensonge, et elle ne veut pas s'effacer. Quand elle comprend la situation dans laquelle Diego souhaiterait s'installer, elle décide de se battre tout de suite, et la seule façon pour elle de se battre, c'est de quitter l'homme qu'elle aime.

C'est la décision la plus coûteuse de sa vie, mais Frida est habituée aux difficultés. Sa force de caractère, la dureté de son âme trempée depuis l'enfance aux malheurs et à la souffrance, font partie aussi de ce pouvoir qui a subjugué Diego. Depuis qu'il la connaît, elle est pour lui l'idéal féminin, non par son corps ou son visage, mais par ce qu'il perçoit, de l'autre côté de son apparence fragile et juvénile, ce courage et cette endurance qu'il considère comme les vertus premières de la femme et qui les rendent supérieures aux hommes. Elle est par tout son caractère ce qu'il admire le plus, ce dont il a le plus besoin. Elle est détermination, ardeur, sincérité absolue — et c'est d'ailleurs pour cela aussi qu'elle l'effraie et qu'il ne peut imaginer la vie sans elle. Dans le drame, c'est encore un jeu qu'il joue avec elle, un jeu cruel et amoureux qui donne un sens à la vie, un jeu de séduction et de désir qu'elle est la seule à pouvoir diriger, la seule à comprendre.

Pourtant, la solitude est épuisante. Sans Diego, loin de lui, Frida n'est plus rien, elle le sent, elle le sait. Le 26 novembre, quelques semaines après la rupture, elle écrit une lettre

angoissée à son confident, le docteur Leo Eloesser :

« Je suis dans une telle tristesse, un tel ennui,
etc., etc., que je ne peux même pas dessiner. Ma
situation avec Diego est pire de jour en jour. Je
sais que je suis beaucoup fautive dans ce qui
s'est passé, parce que je n'ai pas compris ce qu'il
voulait depuis le début et parce que je me suis
opposée à quelque chose d'inévitable[1]. »

Si c'est un jeu auquel Diego a décidé de se
livrer, il est trop cruel pour Frida. Sous les
dehors de dureté et de détermination que la
jeune femme a choisi de montrer aux autres —
son masque, son deuxième habit pour mieux
cacher son visage et la plaie béante au centre de
son corps —, Frida est en réalité fragile, et
dépendante, et tellement sans défense ! Si la trahison de Diego, la faiblesse de Cristina l'ont
plongée dans le désespoir et la solitude, c'est
moins à cause de la jalousie — elle a toujours
refusé tout sentiment de possession — que de la
rupture du couple auquel elle a cru, de l'anéan-
tissement de l'alliance de corps et d'âme qu'elle
a vécue jusque-là avec cet homme, pour elle
aussi forte et aussi durable que les liens du sang.
Comme elle le dit avec amertume, dans la
même lettre adressée à Leo Eloesser : « À
présent, nous ne pouvons plus faire ce que nous
avions dit, abolir le reste de l'humanité et ne

---

1. In Hayden Herrera, *op. cit.*, p. 184.

garder que Diego, vous et moi — car maintenant cela ne suffirait plus à rendre Diego heureux[1]. »

Ce qu'elle ne peut dire à Diego avec des mots,
Frida le dit avec sa peinture. Cette année-là, la
plus sombre et la plus vide de sa vie, elle peint
sur le mode naïf un tableau qui est en réalité
une lettre à Diego, dans laquelle elle lui dit,
avec humour et pudeur, la souffrance qu'il lui
inflige par sa trahison : « *Unos cuantos piquetitos*
("Quelques petits coups de couteau") ». Elle s'y
représente nue sur un lit, les cheveux coupés
(elle avait coupé sa longue chevelure que Diego
aimait tant), le corps lacéré de coups de poi-
gnard. Un dessin, conservé au musée Frida-
Kahlo, explique l'origine de la scène en repro-
duisant un fait divers : un homme debout
devant un lit, à côté de son fils qui pleure, commente son crime : « Juste quelques petits coups
de couteau, monsieur le juge, il n'y en a même
pas eu vingt. » Dans le tableau final, l'homme
debout, sa chemise barbouillée de sang, a le
visage de Diego.

Absurdement, dans ses souvenirs, Diego tente
de minimiser sa mauvaise foi en ne parlant pas
de Cristina comme de la sœur de Frida, mais
comme de sa « meilleure amie ». Il y a chez lui
une indifférence quasi monstrueuse vis-à-vis des
conventions et des convenances, une sorte de

---

1. In Hayden Herrera, *op. cit.*, p. 184.

miroir déformant qui l'empêche de comprendre
la souffrance de ceux qui l'entourent. Et puis ce
n'est pas la première fois que Diego trahit une
femme avec sa sœur, ou sa « meilleure amie ». Il
y a eu Marievna, qu'Angelina Beloff considérait
comme son amie la plus sincère, et Lupe Marín
que Diego a trompée avec sa plus jeune sœur
lors d'un voyage à Guadalajara — trahison qui
fut la cause de la rupture entre Diego et Lupe.
Diego met inconsciemment en application un
usage archaïque, celui du mariage d'un homme
avec plusieurs sœurs, un « mariage de la main
gauche » en quelque sorte. Son mépris de la
bienséance est sans doute sa seule cruauté.
Frida est la seule femme à pouvoir admettre
cette morale particulière, parce que l'amour
qu'elle ressent pour Diego n'est pas un luxe,
mais une nécessité, et qu'elle l'aime comme
seules les femmes savent le faire, plus qu'elle-
même, plus que son amour-propre.

Quand, après des mois de solitude loin de
Diego, elle décide de revenir, Diego le dit lui-
même non sans vanité, elle le fait avec « un
orgueil considérablement rabattu, mais un
amour intact[1] ». Mais la fêlure du masque est
irréparable. À partir de cette année 1935, il y
aura chez Frida, malgré tout ce qu'elle fait pour
reprendre vie et donner le change au reste du

---

1. Diego Rivera, *My Art, my Life, op. cit.*, p. 225.

monde, le « souvenir d'une blessure ouverte »
— c'est le titre d'un de ses dessins de 1938 —
qu'elle identifie avec les terribles cicatrices dont
son corps est couvert. Le sang, la mort, les
obsessions irrépressibles qui l'entourent comme
une végétation prédatrice, et l'absence qui se lit
dans ses yeux, sont devenus parties d'elle-même
et hantent toutes ses œuvres.

Tandis que Diego vit sa vie sensuelle, dévore
tous ceux et toutes celles qui l'approchent et
continue inlassablement à recouvrir les murs
des signes et symboles d'une histoire qui
l'emporte, Frida sait que, loin de son soleil, elle
ne peut que se refroidir et descendre dans
l'enfer du néant. Elle tente de survivre, s'enfuit
avec Anita Brenner, fait un *mad cap flight* en
avion privé jusqu'à New York[1], s'essaie au flirt
appuyé avec d'autres hommes, laisse s'accrédi-
ter une légende d'expérience lesbienne.

En 1936, peut-être grâce à Louise Nevelson,
elle rencontre Isamu Noguchi, sculpteur nippo-
américain. Noguchi est un artiste romantique,
désargenté, qui a sculpté le visage des gens
célèbres de la haute société new-yorkaise, et
celui du peintre José Clemente Orozco. À
Mexico, il réalise un bas-relief en brique et en
ciment pour Abelardo Rodriguez, et rencontre
Diego et Frida. Il est possible que Frida se soit
servie de lui — comme plus tard de Nickolas

1. L'expression est de Hayden Herrera, *op. cit.*, p. 186.

Murray et de Trotski — pour éveiller la jalousie de Diego. Mais rien n'arrête la désagrégation du couple, la descente dans l'enfer du désamour. Un dessin de Frida, de février 1947, résume avec une terrible évidence les années de souffrance de la jeune femme, sa solitude irrémédiable, l'aliénation qui est la sienne depuis qu'elle a perdu Diego. À côté de l'emblème du yin et du yang, qui est celui que le peintre lui attribue, et qui exprime la dualité de la sexualité qu'elle partage avec Diego — il est l'homme en elle, elle est la femme en lui —, le masque de Frida, portant l'œil de la connaissance de la douleur au front, brisé, déchiré, étouffé par des racines qui jaillissent du chevalet de torture sur lequel il est raccroché, figure à côté de sa propre tombe sur laquelle est écrit :

RUINA !

CASA	*NIDO*	*TODO*
PARA	*PARA*	*PARA*
AVES	*AMOR*	*NADA*[1]

C'est en ce temps qu'elle produit ses tableaux les plus violents, proches du cri de souffrance plutôt que de la pensée construite, et encore très semblables aux images brutales et crues des

---

1. Maison pour les oiseaux
   Nid pour l'amour
   Tout cela pour rien

ex-voto. L'enfance et la mort y apparaissent
unies par une nécessité intolérable. La mort du
petit Dimas, l'un des compagnons de Frida à
Coyoacán, que Diego avait peint naguère dans
les bras de sa sœur aînée Delfina, a été pour elle
le symbole même de la tragédie mexicaine. Elle
peint l'enfant couché dans sa robe d'apparat,
coiffé d'une tiare parodique de papier, pareil
aux victimes des rituels préhispaniques, dérisoire emblème de la royauté de l'enfance.

D'autres enfants, voisins de la mort, inter-
rogent le monde adulte dans ses tableaux — *Les
Quatre Habitants de Mexico*, peint en 1938 —, en
réponse à un autre tableau de Diego, *L'Enfant
au masque de mort*. Pour expulser sa solitude, la
perte de l'amour, Frida peint des rituels d'exorcisme où le sang, les blessures représentent les
tortures morales qu'elle s'inflige à elle-même ;
l'obsession de l'automutilation et la peur de la
folie y sont exposées au grand jour : la veine
coupée des *Deux Fridas*, le collier d'épines et le
cœur arraché du *Cœur* sont les récits muets
qu'elle fait de sa douleur, des constats impas-
sibles et sanglants qui cherchent le regard égaré
de Diego — et qui effraient ses contemporains.

À la fin de 1938, la journaliste Clare Boothe
Luce, de la revue américaine *Vanity Fair*,
demande à Frida de peindre un tableau en
mémoire de son amie, l'actrice Dorothy Hale,
qui vient de mettre fin à ses jours en se jetant

par la fenêtre d'un immeuble de New York.
Mais c'est son propre suicide que peint Frida,
tel qu'elle a pu l'imaginer au creux du désespoir, peut-être lorsqu'elle a fui Mexico après la
rupture avec Diego. L'actrice étendue sur le sol,
dans sa robe de soirée, porte sur son cœur le
bouquet de roses qu'Isamu Noguchi aimait donner à Frida, comme une ultime offrande. Mais
la cruauté de l'image, et le sang qui avait ruis-
selé du visage de Dorothy jusque sur le cadre,
horrifièrent la commanditaire. Frida ne savait
pas dire les choses autrement qu'avec la force
provocatrice de la vérité : le suicide d'une
femme seule, sans argent, sans avenir, devait
mettre mal à l'aise le monde entier.

Pour elle, dans ce temps de malheur, tout est
prétexte à lancer des messages de souffrance.
Elle peint pour la première fois des fruits
ouverts, la peau arrachée, offrant leur pulpe à la
lumière cruelle, comme ces figues de Barbarie
en 1937, qui deviendront jusqu'à la fin de sa vie
le symbole de sa féminité blessée — et que
Diego peindra lui aussi sous son influence. Elle
peint sa vie dans des tableaux de plus en plus
étranges comme *Ce que l'eau me donna*, en 1938,
où les débris de ses visions flottent dans l'eau de
sa baignoire autour de ses jambes immergées ;
mais aussi sa foi dans la magie de son passé,
dans l'aliment qu'elle a sucé au sein de sa nourrice, ce lait surnaturel qui coule goutte à goutte

dans sa bouche, sur le tableau *Ma nourrice et moi* peint en 1937, et qui l'unit à jamais au cosmos amérindien.

La peinture est devenue alors une nécessité pour Frida, sa seule raison de survivre à la séparation. Mais l'exorcisme de l'art ne peut gommer la réalité et, à la fin de l'année 1939, lorsque Frida débarque de Paris, Diego demande le divorce. Tout doit disparaître dans la destruction du couple.

RÉVOLUTION EN AMOUR

Diego et Frida sont épuisés. Épuisés par les années de malaise, la guerre et l'angoisse grandissante. La rupture qu'a voulue Diego est le dernier acte de cette vie tumultueuse, le point final mis à un contrat de mariage qui était devenu une prison pour ses sens. Tous deux sont à bout de forces parce qu'ils ont vécu cet affrontement comme la plus grande réalité de la vie, la seule histoire vraie. L'amour, la communauté du mariage, puis l'affrontement, c'est tout simplement la rencontre impossible des deux principes qui régissent l'univers, le yin et le yang, ou, selon la mythologie aztèque, l'union en un même corps d'Ometecuhtli et d'Omecihuatl, la dualité masculine et féminine, à l'origine de toute vie sur la terre. Cela, Diego ne le comprend pas encore quand il décide de se séparer de Frida. Avec sa réserve, avec ce troisième œil que la souffrance a ouvert sur son front, Frida, elle, l'a perçu depuis le commencement. Le monde pour elle est depuis toujours divisé en deux : d'un côté la nuit et de l'autre le jour, la lune et le soleil, l'eau et le feu, le songe et la réalité, la cellule-mère, ou la grotte de l'utérus, et la violence du spermatozoïde, le couteau qui tue. Frida sait cela, elle le dit d'instinct avec cette sorte d'obstination à fleur de nerfs qui est antérieure à toute pensée.

L'un et l'autre sont des peintres, non des intellectuels. Leur pensée est au bout de leurs mains, dans leurs regards. Ils ne manient pas des concepts, ni des symboles, ils les vivent dans leur corps, comme une danse, un acte sexuel. Puis ils les projettent sur leurs toiles. Et c'est dans la nature solaire de Diego de se tromper sur ses propres sentiments, de vouloir conquérir.

À la violence, à la jalousie possessive de Diego, l'ogre dévorant, s'opposent la distance, la rêverie, le goût pour la solitude de Frida, son obsession de la souffrance. Sa peur de souffrir, qui veut dire aussi : peur de la jouissance. Tout cela est dans la nature des choses, c'est-à-dire dans la réalité des lois de la société (mexicaine, indienne, latine, chrétienne), dans ses jeux cruels et parfois criminels. L'homme est déterminé à conquérir par la violence, à user des autres, à tirer une certaine jouissance du mal et des larmes ; et la femme est condamnée à la dépendance, à la souffrance, à la solitude, mais

aussi à la clairvoyance et à cette perception instinctive des dangers et des douleurs.

L'histoire de la guerre que Diego et Frida se
livrent à partir de 1935 et jusqu'en 1940 est
beaucoup plus qu'une simple anecdote à la
manière de ces déboires conjugaux où alternent
crises, réconciliations et mensonges. C'est une
histoire symbolique dont les protagonistes sont
véritablement debout sur une scène théâtrale,
et jouent une sorte de jeu de la passion auquel
se mêlent les gestes et les pas du *Baile de la
Conquista* — la danse des Conquérants, le rituel
populaire le plus important de toute l'Amérique
indienne dans lequel, comme le dit le proverbe
péruvien, « le vaincu est vaincu, et le vainqueur
perdu ».

Au terme de cet affrontement, Diego et Frida
en seront totalement changés, et leur vie ne sera
plus jamais la même, puisqu'il ne suffit pas de
vouloir changer la société, mais qu'il faut nécessairement faire la révolution à l'intérieur de soi-
même.

Il n'est pas indifférent que Léon Trotski et
André Breton aient joué un rôle dans cette
aventure, et qu'ils soient apparus dans la vie de
Diego et de Frida au moment même où leur
couple se défait. L'année 1936 est l'année des
grandes turbulences révolutionnaires en
Europe, avec la montée des masses populaires,
mais surtout en Espagne : avec l'insurrection

ouvrière de Barcelone, le 3 mai, commence
l'horreur de la guerre civile, massacres de populations, trahisons, règlements de comptes. Frida
est aux côtés de Diego dans toutes les manifestations de soutien aux républicains espagnols, elle
retrouve la détermination juvénile, le visage
sérieux, le regard ardent du temps où elle défi-
lait dans les rues de Mexico avec Diego et Xavier
Guerrero et le Syndicat des peintres et
sculpteurs, le Premier Mai 1929. La crise politique de 1934 au Mexique, qui a opposé les
communistes aux Chemises dorées (une organisation d'apparence fasciste, probablement épau-
lée par le Département d'État des États-Unis),
puis la crise économique qui a entraîné le développement des grèves dures à travers tout le
pays durant l'année 1935, ont favorisé le rapprochement de Diego et Frida, leur nouvelle
entente autour des idéaux révolutionnaires.

Lorsque, le 9 janvier 1937, Léon Trotski et sa
femme Natalia Sedova débarquent du bateau-
citerne *Ruth*, dans la touffeur tropicale du port
de Tampico, c'est Frida que Diego, pour
accueillir le proscrit, envoie en son nom — et
c'est chez elle, dans la maison familiale des
Kahlo, à Coyoacán, que Trotski trouve refuge.

L'époque de cette première rencontre avec
Trotski est éblouissante pour Frida comme pour
Diego. Chassé par les émissaires de Staline à tra-
vers le monde entier, expulsé de Norvège, inter-

dit de séjour sur le territoire des États-Unis par Roosevelt, Trotski apparaît comme le symbole même du martyr du communisme, le révolutionnaire pur et sans compromission qui porte au monde l'héritage brûlant de Marx et de Lénine. C'est grâce à l'intervention personnelle de Rivera auprès de Lázaro Cárdenas, le nouveau président du Mexique, que le proscrit peut enfin trouver un asile. Pour Diego Rivera, Trotski représente l'idéal révolutionnaire, l'homme qui se sacrifie totalement pour son idée, l'homme qui incarne véritablement l'Internationale communiste. Ému par le sort du fondateur de l'Armée rouge, Lázaro Cárdenas, dans un élan fraternel, envoie même à Tampico son train personnel, *El Hidalgo*, et Trotski s'installe avec sa suite (secrétaires, gardes du corps) à Coyoacán qui devient aussitôt le nouveau centre de l'Internationale trotskiste — c'est là que, désormais, le chef révolutionnaire rédige ses communiqués, ses prises de position, organise sa défense contre le pouvoir de Staline.

Trotski est ébloui, lui aussi, par la générosité de Diego et de Frida, par la chaleur de l'accueil, par la splendeur coloniale de Coyoacán — et par l'étrange beauté de son hôtesse. Frida joue avec lui le jeu qu'elle aime, non sans perversité : jeu de la séduction, du flirt amoureux. Celui qu'elle traitera un peu plus tard, avec un certain dédain, de « *viejito* », l'attire alors parce qu'il est au centre d'un tourbillon de l'Histoire. Il est l'homme qu'a choisi Lénine, celui qui a failli diriger le géant soviétique, le proscrit romantique. Il est aussi et surtout l'homme que Diego admire sans réserve, l'un des seuls à avoir maintenu intact l'idéal révolutionnaire. Entre Trotski et Rivera s'est formée dès le début une relation chaleureuse et amicale. Il est possible que Trotski, homme d'action russe, peu habitué aux complexités de l'âme féminine latino-américaine, n'ait pas bien compris le jeu que Frida a décidé de jouer, entre eux trois. Après les durs mois de tension du second procès de Moscou, puis de la commission Dewey — le contre-procès dont les assises se tiennent dans la maison de Coyoacán —, Trotski se laisse emporter par son tempérament fougueux, et se conduit comme un collégien, glissant lettres et rendez-vous secrets à Frida, et s'enfuit même pendant quelques jours, rejoint par Frida dans l'hacienda de San Miguel Regla. Bien que Diego n'ait probablement rien su du jeu amoureux de Frida et de Trotski, cette aventure rocambolesque ne put cependant que modifier l'attitude de ce dernier envers Diego. Au demeurant, lorsque, en 1938, les conseillers du leader révolutionnaire décident d'écarter Rivera de toute participation active à l'Internationale trotskiste, Trotski refusera de soutenir son ami. L'affaire de l'accord pétrolier entre Mugica et les pays de l'Axe — accord condamné violemment par Rivera, et approuvé au nom du pragmatisme par Trotski — consommera la rupture, et Frida perdra alors tout respect pour le « vieux »[1]. La même année, pourtant, Diego Rivera manifeste encore publiquement son soutien à Trotski, malgré leurs désaccords passés : « L'incident entre Trotski et moi n'est pas une lutte, c'est un malentendu lamentable qui a dégénéré et a abouti à l'irréparable. C'est cela qui m'a conduit à rompre mes relations avec un grand homme pour qui j'ai eu, et pour qui je garde encore, la plus grande admiration et le plus grand respect[2]. »

Étrangement, c'est la rencontre de Rivera, Trotski et André Breton qui scelle la rupture finale du couple. André Breton, venu à Mexico pour rencontrer Trotski — il a été également exclu du Parti communiste deux ans après Rivera — et rédiger avec lui le manifeste de la Fédération internationale des artistes révolutionnaires indépendants — manifeste qui porte la marque évidente des idées trotskistes en affir-

---

1. Lev Ospovat, dans son livre sur Diego Rivera (Moscou, 1989, p. 392), parle de l'amitié « monstrueuse » du peintre mexicain, « turbulent, généreux, coureur de femmes et fantastiquement menteur », avec le vieux révolutionnaire « acculé à la défaite, méfiant et hermétique », et cite le propos de Trotski sur Rivera, rapporté par le peintre Juan O'Gorman : « Diego est atroce. Psychiquement, il est pire que Staline. Ce dernier, à côté de Rivera, semble presque un philanthrope ou un enfant de huit ans. »

2. Olivia Gall, *Trotsky en México*, Mexico, 1991, p. 217.

mant la nécessité de l'émancipation totale de l'intellectuel —, est lui aussi ébloui par Frida, non par la beauté de la jeune femme, mais par la profondeur et la liberté de sa peinture. Pour elle, il écrit une présentation élogieuse de ses tableaux, destinée à l'exposition de New York. À propos de celui que Frida est en train d'achever — *Ce que me donne l'eau* — il écrit :

« Il ne manque à cet art pas même la goutte de cruauté et d'humour qui est la seule capable d'unir les rares pouvoirs affectifs qui entrent en composition pour former ce filtre dont le Mexique détient le secret. »

Avec ce rare sens de la formule qui l'a rendu célèbre, il termine par cette définition : « L'art de Frida Kahlo de Rivera est un ruban autour d'une bombe[1]. »

La venue d'André Breton précipite les événements. Pour la dernière fois, Trotski et Rivera voyagent ensemble, accompagnant André Breton en train jusqu'à Guadalajara, où le grand prêtre du surréalisme doit rencontrer José Clemente Orozco ; puis, à travers le Michoacán, à Patzcuaro, et sur l'île de Janitzio, célèbre pour le culte des morts qu'y observent les Indiens purepecha.

Déjà Diego Rivera a décidé de rompre, et le proche départ de Frida pour New York, où elle va inaugurer sa première exposition, est pour

1. André Breton, *Œuvres.*

lui le prétexte de cette séparation. Il ne veut plus de cette situation maritale ni du poids écrasant que représentent Frida, sa jalousie, sa souffrance, cette fragilité d'enfant blessée qui l'a jadis ému. La révolution, c'est aussi pour lui la liberté amoureuse, toute cette vie tapageuse avec des femmes qui l'admirent, qui posent pour lui, qui s'enivrent de sa célébrité — ainsi l'actrice Paulette Goddard, qui réside à San Angel, non loin de chez lui, et qui interviendra quand la police voudra l'arrêter, après le premier attentat contre Trotski. L'émancipation de Frida, voilà la vraie révolution qu'elle doit accomplir pour devenir l'égale des hommes et se libérer œ l'esclavage de l'amour exclusif. Avec l'humour noir qui le caractérise, Diego Rivera dira plus tard, parlant à Gladys March de cette époque : « Durant les deux années de notre séparation, Frida réussit quelques-uns de ses chefs-d'œuvre, sublimant son angoisse dans sa peinture [1]... »

Mais la vérité gît au fond d'elle-même, dans ce vide terrifiant qu'elle ressent loin de lui. Elle n'a que faire de la liberté, et ne peut vivre sans l'amour de Diego. Dans son Journal, le 8 décembre 1938, date de l'anniversaire de Diego Rivera, Frida écrit les mots qui la déchirent, les mots qu'elle n'ose pas dire, ni à

---

1. Diego Rivera, *My Art, my Life, op. cit.,* p. 224.

lui ni à aucun autre homme, les mots de la
vérité que seule l'« autre Frida » peut entendre :

Jamais de ma vie
Je n'oublierai ta présence.
Tu m'as prise quand j'étais brisée
Et tu m'as réparée
Sur cette terre trop petite
Où pourrais-je diriger mon regard?
Si immense, si profond!
Il n'y a plus de temps. Il n'y a plus rien.
Distance. Il y a seulement *la réalité.*
Ce qui fut, fut pour toujours.

Pris par la réalisation des peintures murales
du Palais National, dans le tumulte sensuel de la
vie et les remous de la politique au jour le jour,
Diego peut bien croire au bonheur de Frida
dans sa nouvelle vie, son indépendance. Elle-
même ne joue-t-elle pas à être heureuse?

Quand Frida rencontre Nickolas Muray (sans
doute à Mexico), il est l'un des photographes
les plus en vogue à New York, qui a photographié les femmes et les hommes les plus
célèbres du moment, de Lilian Gish à Gloria
Swanson, de D.H. Lawrence à Johnny Weissmul-
ler. Il est grand, mince, athlétique — il a été
deux fois champion de sabre des États-Unis —
avec ce visage aristocratique que Frida avait
aimé jadis chez son « fiancé » Alejandro Gómez

Arias. Il est tout de suite séduit par Frida Kahlo, par sa beauté exotique, par cette flamme qui brille dans ses yeux charbonneux, par son esprit pétillant, juvénile, par sa provocation continuelle. Durant les trois mois qu'elle passe avec lui à New York, elle oublie l'atmosphère orageuse de la maison de Diego, l'obsession de la trahison de Cristina, la jalousie morbide qui s'emparait d'elle quand elle voyait Diego en compagnie d'autres femmes ou avec Lupe Marín. Elle vit avec Nick un amour un peu fou dans le tourbillon brillant de la vie new-yorkaise où elle rencontre des peintres, des artistes, la danseuse Martha Graham, Louise Nevelson, la journaliste Clare Boothe Luce, de *Vanity Fair*, (qui lui commandera le portrait-souvenir de son amie Dorothy Dale), l'actrice Edla Frankau et l'artiste peintre Georgia O'Keefe, avec qui la rumeur lui prête une aventure homosexuelle ; Aline Mac Mahon, Ginger Rogers, qui sont des amies de Noguchi, et les collectionneurs d'art Sam A. Lewisohn, Charles Liebmann, et même Nelson Rockefeller dont elle semble avoir oublié le forfait, la destruction de la fresque de Diego à Radio City.

New York, avec Nick, n'est plus l'affreuse métropole qu'elle a connue au temps où elle était prisonnière de l'appartement du Barbizon, déprimée et solitaire dans la touffeur de l'été. Son exposition est un succès, elle a vendu la moitié des tableaux. Elle est très amoureuse de cet homme si élégant, si sûr de lui. Après le petit déjeuner au restaurant du Barbizon, elle l'accompagne au studio de McDougal Street, et c'est là qu'il fait un de ses plus beaux portraits — Frida debout, drapée dans un *rebozo* magenta, coiffée de ses tresses mêlées de laine à la manière indienne ; elle pose avec une expression apaisée, un peu alanguie, qu'on ne lui a jamais connue auparavant. Cet amour sans contraintes, qu'elle devine aussi sans lendemain, est sans doute l'un des souvenirs les plus heureux de sa vie, le seul moment où elle retrouve pour quelques semaines la liberté et l'insouciance du temps des *Cachuchas*, le temps d'avant l'accident du marché San Juán. Pour lui, elle devient *Xochitl* (Fleur), son double rêvé, venu du monde indien, libéré de toutes les contradictions et médiocrités de la vie moderne. Pour elle, il est son *Nick* — sa vie — son enfant.

Lorsque la fête est finie et que Frida doit retourner à Mexico, à la vie orageuse de San Angel, aux jalousies et rivalités mesquines qui entourent Diego Rivera, elle n'oubliera pas ces extraordinaires moments de liberté, d'insouciance, cette sorte d'électricité qui vibrait partout autour d'eux, dans les rues de New York. Le souvenir de cet amour éphémère est pour elle comme un talisman. Elle écrit à Nickolas Muray :

« Écoute, Kid. Est-ce que tu touches chaque jour en passant le "machin-truc" pour le feu qui pend dans le corridor de notre escalier ? N'oublie pas de faire ça tous les jours. N'oublie pas non plus de dormir sur le petit coussin que j'aime tant. N'embrasse personne en regardant les panneaux et les noms des rues. N'emmène personne faire un tour à notre Central Park. Parce qu'il n'appartient qu'à Nick et Xochitl[1]. »

Frida joue, sans savoir que l'issue du jeu est cruelle, et que, plus tard, la solitude ne lui en paraîtra que plus irrémédiable. C'est peut-être le moment de la plus grande désillusion, quand, poussée par le vide affectif dans lequel la plonge la rupture avec Diego, elle cherche à s'agripper à n'importe quel prix.

Le voyage à Paris, en 1937, est en quelque sorte la cristallisation de la rupture, de toutes les ruptures. Invitée à participer à la grande exposition sur le Mexique à la galerie Pierre Colle (exposition organisée par le gouvernement Cárdenas), elle s'est lancée à l'aventure, pour ne plus être à Mexico, pour échapper à la vérité qui la cerne, à la douleur physique, et aussi pour montrer à Diego qu'elle est désormais indépendante et libre. À Paris, elle est accueillie avec enthousiasme par les surréalistes (elle loge chez André et Jacqueline Breton) et par les plus

. In Hayden Herrera, *op. cit.*, p. 238.

grands peintres : Yves Tanguy, Picasso. Kandinsky fut tellement ému par la peinture de Frida, raconte Diego Rivera, « que devant tout le monde, dans la salle de l'exposition, il la prit dans ses bras et l'embrassa sur le front et sur les deux joues, et des larmes coulaient sur son visage [1] ».

Mais Frida ne retrouve pas à Paris l'atmosphère de fête qu'elle a aimée à New York. Dans une lettre qu'elle adresse à Nickolas Muray le 16 février 1939, André Breton est traité de *son of a bitch* parce qu'il n'a pas su organiser son arrivée et l'a logée dans la même chambre que sa fille Aube. Elle ne supporte pas la saleté de Paris, ni la nourriture (elle attrape même une colibacillose) ; l'exposition lui paraît fumeuse, envahie par cette « bande de fils de putes lunatiques que sont les surréalistes », et inutile toute cette « saloperie » qu'ils exposent autour du Mexique. Par-dessus le marché, Pierre Colle, choqué par la crudité des tableaux de Frida, refuse de les accepter dans sa galerie. Dans une autre lettre à Nick Muray, Frida clame son profond dégoût des intellectuels parisiens : « Ils sont tellement de foutus intellectuels pourris que je ne peux plus les supporter. Ils sont vraiment trop pour moi. J'aimerais mieux m'asseoir par terre dans le marché de Toluca pour vendre des *tortillas* que d'avoir quoi que ce soit à voir

---

1. Diego Rivera, *My Art, my Life, op. cit.,* p. 226.

avec ces connards "artistiques" de Paris [...]. Je n'ai jamais vu Diego ni toi perdre votre temps à ces bavardages stupides et ces discussions intellectuelles. C'est pour ça que vous êtes de vrais hommes et non des "artistes" minables — Bon sang ! Ça valait la peine de venir jusqu'ici juste pour comprendre pourquoi l'Europe est en train de pourrir, pourquoi tous ces incapables sont la cause de tous les Hitler et les Mussolini[1]. »

Le mauvais temps et la grisaille sont sûrement pour beaucoup dans sa mauvaise humeur — et puis il y a le vide qui se creuse au centre d'elle-même, le sentiment d'angoisse au fur et à mesure que se rapproche le moment inévitable de la rupture avec Diego. Elle le sent, elle ne peut plus résister. L'escapade amoureuse, le tourbillon de New York et le succès mondain de Paris — la main de Frida apparaît alors en première page de *Vogue*, et la styliste Schiaparelli, inspirée par sa tenue indienne, crée le modèle *Madame Rivera* — ne peuvent rien contre ce vertige qui la saisit devant sa propre solitude.

De retour à Mexico, elle doit surmonter deux épreuves : la rupture avec Nickolas Muray, qui se marie. Et le divorce que Diego la pousse à accepter. Demandé le 6 novembre 1939, le divorce par consentement mutuel — qui existe depuis l'indépendance au Mexique — est pro-

---

1. In Hayden Herrera, *op. cit.*, p. 246.

noncé en octobre devant le tribunal de Coyoacán. Pour Frida, les moments les plus douloureux sont déjà derrière elle, dans la longue
attente à New York, à Paris, et dans les inter-
minables discussions avec Diego. Pour lui, le
divorce était devenu une véritable obsession :
« Un soir, raconte-t-il à Gladys March, sur une
impulsion soudaine, je lui téléphonai pour lui
demander de consentir au divorce, et dans mon
anxiété, je fabriquai un prétexte vulgaire et stupide [...]. Cela marcha, Frida déclara qu'elle
voulait divorcer tout de suite[1]. » Le prétexte, ce
fut peut-être celui que Frida redoutait par-dessus tout : sa difficulté à jouir dans l'amour,
qu'elle imputait au terrible accident qui l'avait
mutilée dans sa jeunesse.

Le couple est brisé, rompu par une guerre
qui a duré trois ans, d'autant plus absurde que
rien ne la justifiait vraiment. Plus tard, Diego
avouera : « Nous avions été mariés pendant
treize ans. Nous nous aimions toujours autant.
Je voulais simplement être libre de faire selon
mon désir avec toutes les femmes dont j'avais
envie. Et pourtant Frida ne s'opposait pas à ce
que je sois infidèle. Ce qu'elle ne pouvait
admettre, c'est que je choisisse des femmes qui
ne me valaient pas, ou qui lui étaient infé-
rieures. Elle considérait comme une humilia-
tion personnelle que je la délaisse pour des traî-

1. Diego Rivera, *My Art, my Life, op. cit.*, p. 226.

nées. Mais si je la laissais faire, est-ce que ce n'était pas réduire ma liberté? Ou bien est-ce que j'étais la victime dépravée de mes propres appétits? Et est-ce que ce n'était pas un pieux mensonge de penser que le divorce mettrait fin aux souffrances de Frida? Est-ce qu'elle n'en souffrirait pas davantage[1]? »

La réponse est dans la lettre que Frida adresse à Nickolas Muray en octobre, alors que le divorce est en cours : « Je n'ai pas de mots pour te dire comme j'ai mal, et toi qui sais combien j'aime Diego, tu peux comprendre que ces maux ne finiront qu'avec ma vie, mais, après la dernière dispute que j'ai eue avec lui (au téléphone), et comme cela fait un mois que je ne le voyais plus, j'ai compris que, pour lui, c'était bien mieux de me quitter... Maintenant je me sens brisée et seule, et j'ai l'impression que personne au monde n'a souffert comme je souffre, mais, bien sûr, j'espère que ça changera dans quelques mois[2]. »

La réponse se trouve surtout dans les tableaux que Frida peint cette année-là, terribles, sanglants, hantés par l'image du suicide et de la mort : sa vie qui s'en va dans l'eau du bain, les figues de Barbarie à la peau arrachée comme pour un sacrifice, les deux Frida au cœur mis à nu, et l'extraordinaire portrait, brillant de cet

1. Diego Rivera, *My Art, my Life, op. cit.*, p. 226.
2. In Hayden Herrera, *op. cit.*, p. 276.

humour macabre qui lui tient lieu de cuirasse,
où elle est assise très droite, impassible, au
milieu de ses cheveux moissonnés, tandis que
résonnent les mots de la chansonnette cruelle :

> *Mira que si te quisé, fue por el pelo,*
> *Ahora que estas pelona, ya no te quiero*[1].

Pourtant, Diego et Frida sont réunis encore
une fois dans la grande fête surréaliste organisée par César Moro et André Breton à Mexico
au début de l'année 1940. Tous les grands noms
de la peinture, de la littérature et des arts sont
là, le photographe Manuel Alvárez Bravo, Alice
et Wolfgang Paalen, le poète Xavier Villaurrutia
(l'auteur de *Nostalgie de la mort*), les peintres
Roberto Montenegro, Antonio Ruiz, Carlos
Mérida. Mais il y a quelque chose de dérisoire
dans ce mouvement qui se survit à lui-même,
après la tragédie de l'Espagne. Et cette guerre
qui est en train de dévorer à nouveau l'Europe.
Malgré la tentative de César Moro et de Wolfgang Paalen de régénérer le surréalisme en
Amérique latine grâce à l'apport des antiques
cultures indigènes du Mexique et du Pérou, la
réunion sonne le glas du mouvement, rendu
absurde par la montée des fascismes en Europe
et par la rupture de la patrie du socialisme avec

---

1. *Tu vois, si je t'aimais, c'était pour tes cheveux*
   Maintenant que tu n'en as plus, je ne t'aime plus.

les idéaux révolutionnaires. Pour Diego et Frida, préoccupés par leur propre situation, la grande messe surréaliste — avec l'attente de l'apparition annoncée du Grand Sphinx de la nuit — a quelque chose de décidément puéril, qui se rattache aux mondanités un peu creuses des *Contemporáneos*, que Rivera a toujours regardées comme un intellectualisme bourgeois imité de l'Europe[1]. « Le surréalisme, égal à zéro ? » titre un article d'Adolfo Menendez Samara dans le numéro 28 de *Letras de México*.

La réalité, de fait, ne leur laisse guère le temps de s'interroger sur le sens de la nouvelle poésie surréaliste. Le 24 mai, un attentat perpétré contre Trotski dans sa nouvelle maison de la rue de Londres — un groupe armé (commandé par un mystérieux homme en imperméable qui ressemble au peintre Siqueiros) a balayé sa chambre de rafales de mitraillette, puis a jeté une bombe incendiaire — est à l'origine d'une nouvelle aventure pour Diego Rivera. Sorti miraculeusement indemne de l'attentat, Trotski

---

1. Entre 1928 et 1931, la revue *Contemporáneos*, publiée à Mexico, fut l'organe littéraire des écrivains d'avant-garde, proches du surréalisme, tels que Jaime Torres Bodet, Xavier Villaurrutia, Ortiz de Montellano ou Jorge Cuesta (qui épousa Lupe Marín après la rupture de celle-ci avec Diego Rivera). Le mépris de Rivera pour ces intellectuels détachés et « *artepuristas* » eut pour corollaire la condamnation du chef du mouvement muraliste par les représentants de la nouvelle génération, tels que Cardoza y Aragón ou Octavio Paz, qui dénoncèrent alors l'« impérialisme esthétique » de Rivera.

ne fait rien pour détourner les soupçons de la
police dirigés contre son ancien ami. Averti par
l'actrice Paulette Goddard qui réside en face de
chez lui à San Angel, Diego échappe à l'arrestation dans des circonstances rocambolesques,
caché sous de vieilles toiles à l'arrière de la voi-
ture de son amie, l'artiste peintre d'origine hongroise Irene Bohus, et s'enfuit aux États-Unis, à
San Francisco.

Comme toujours lorsqu'il est en difficulté,
c'est vers le Nord que Rivera se tourne. Grâce à
Paulette Goddard, Diego retrouve à San Francisco ses amis Albert Bender et Pflueger, et surtout du travail. On lui confie la décoration du
parc d'attractions de Treasure Island, et il choisit comme thème l'unité panaméricaine (thème
déjà illustré à Detroit) qui reflète son idéal
d'une abolition des frontières et d'une communauté interethnique sous la bannière du socialisme. Au centre, Diego peint un être « moitié
dieu, moitié machine », représentant pour le
peuple américain ce que « la Coatlicue, la
grande divinité maternelle du Mexique, repré-
sentait pour le peuple aztèque[1]. » Sur la même
fresque, Diego peint un portrait de Paulette
Goddard au côté de Charlie Chaplin, qu'il a
rencontré à Los Angeles et auquel il voue un

---

1. Diego Rivera, *My Art, my Life, op. cit.*, p. 244. Le texte de Gladys March mentionne le nom de Quetzalcoatl, évidemment une
erreur de transcription.

véritable culte depuis *Le Dictateur* — dénoncia-
tion de la tyrannie hitlérienne que Diego a illus-
trée dans une de ses quatre fresques de 1936
proposées à l'hôtel Reforma, et refusées pour
des raisons de convenances politiques[1]. L'image
de Frida Kahlo, vêtue en *Tehuana*, parmi les
figures de la fresque du City College de San
Francisco évoque non seulement cette nécessaire rencontre du Nord et du Sud, mais la
nécessaire réconciliation de Diego avec Frida.

Les événements vont en effet précipiter le
cours de la révolution affective du couple. Le
20 août 1940, Ramon Mercader — un émissaire
de la Guépéou de Staline agissant sous le nom
de Jacson — qui a longuement préparé son
crime, pénètre dans la maison de Trotski, se fait
recevoir dans son bureau et tue le leader révolutionnaire d'un coup de pic à glace dans le
crâne.

Comme tous ceux qui ont été proches de
Trotski à Mexico, et comme Rivera lui-même,
Frida Kahlo est soupçonnée par la police, inter-
rogée à plusieurs reprises. Son état de santé,
aggravé par une dépression nerveuse, est tel que
le docteur Leo Eloesser lui demande de venir se

1. L'alliance entre le Mexique et l'Allemagne hitlérienne fut
l'un des griefs majeurs des intellectuels mexicains contre la politique opportuniste de Lázaro Cárdenas. Dans son projet de
fresque, Diego Rivera, en plus des portraits charges de Hitler et de
Mussolini, caricaturait l'armée sous les traits d'un général « tête
de cochon » et la révolution figurée par un âne.

faire soigner le plus tôt possible à San Francisco.
Son arrivée dans cette ville qu'elle aime tant, la
proximité de Diego opèrent des miracles. À la
suite de l'intervention du docteur Eloesser, qui
le persuade que la séparation affecte « grave-
ment Frida et pourrait avoir des conséquences
dramatiques sur son état de santé », Diego
Rivera se résout à « essayer de la persuader de
l'épouser à nouveau ». Le plaidoyer « candide »
du docteur Eloesser, raconte Diego, ne facilite
guère les choses, car il expose à Frida l'impossibilité *naturelle* dans laquelle Diego se trouve
d'être fidèle. Mais Frida accepte, sous certaines
conditions qui forment le plus étrange contrat
de mariage jamais imaginé. Elle sera sa femme,
à condition qu'ils n'aient plus de relations
sexuelles et qu'elle subvienne à ses propres
besoins. Elle accepte cependant que Diego paie
la moitié des dépenses de la maison. « J'étais si
heureux de retrouver Frida, ajoute Diego, que
je donnai mon accord sur tout, et le
8 décembre, jour de mon quarante-quatrième
anniversaire, Frida et moi fûmes mariés pour la
seconde fois[1]. »

Alors s'achève la longue période de désamour
et de désintégration, le vide qui s'était installé
en eux et qui les détruisait. Depuis leur premier
retour de New York en 1933, leur amour avait
accompli sa révolution durant ces huit années.

---

1. Diego Rivera, *My Art, my Life, op. cit.*, pp. 242-243.

L'ÉTERNEL ENFANT

Don Guillermo est mort et Frida s'installe à Coyoacán où elle vivra désormais jusqu'à la fin. Comme pour marquer le commencement d'une ère nouvelle, elle choisit de faire peindre les murs de la maison familiale de cette couleur indigo dont étaient peints les temples et les palais aztèques, et qui donnera son nom à la *Maison Bleue*. Diego fait ajouter une aile à la maison, pour que Frida ait son atelier dans l'endroit qu'elle aime le plus au monde, au-dessus du jardin qui est devenu tout son univers.

Le retour à Mexico, au début de 1941, marque véritablement une nouvelle période pour le couple, une volonté nouvelle de vivre une vie commune. En fait, rien n'a changé. Le contrat un peu vaudevillesque que Frida a passé avec Diego n'oblige qu'elle, l'enferme dans sa propre prison. En même temps, il exprime toute l'extraordinaire volonté qui l'anime et la fait résister à la désintégration, son orgueil et

son entêtement, jusque dans l'amour, puisque
l'amour pour elle ne peut être que cette détermination unique à aller jusqu'au bout.

Et c'est bien ce sentiment d'absolu qui
éblouit Diego, lui qui ne sait pas être constant,
lui qui se laisse entraîner par ses sens, son goût
de la jouissance, son insatiable appétit d'ogre.
Quand il fait venir Frida à San Francisco, puis
quand il lui demande de l'épouser une seconde
fois, il ne joue plus. Il sait bien que, sans Frida,
sans l'amour surhumain qu'elle lui voue —
« J'aime Diego plus que ma propre peau », écrit-
elle dans son Journal —, il est perdu et mortel.

Aucun couple n'aura été davantage uni dans
la création. La peinture de Diego exprime le
génie — cette force mystérieuse, impérieuse,
cette sorte d'instinct de survie qui fait naître
sous ses pinceaux les formes, les ombres, le
mouvement surtout, le heurt des masses et la
précipitation des corps. Le génie, c'est Frida en
lui, son regard, sa volonté, sa clairvoyance.
Comme au premier instant, quand elle allait
espionner en cachette la salle de l'amphithéâtre
Bolívar où le peintre évoluait sur ses tréteaux
comme une sorte de géant équilibriste, c'est par
la peinture et par la création de son œuvre que
Frida rejoint Diego. Elle voit par ses yeux, elle
sent par ses sens, elle devine par son esprit, elle
est Diego, et Diego est en elle comme si elle le
portait dans son corps.

Dans son Journal, elle écrit :

« Diego, commencement
Diego, constructeur
Diego, mon enfant
Diego, mon fiancé
Diego, peintre
Diego, mon amant
Diego, mon mari
Diego, mon ami
Diego, ma mère
Diego, mon père
Diego, mon fils
Diego, moi
Diego, univers
Diversité dans l'unité
Mais pourquoi est-ce que je dis Mon Diego ?
Il ne me sera jamais à moi. Il n'appartient qu'à lui-même [1]. »

De plus en plus, dans l'isolement volontaire de la *Maison Bleue* — ce refuge qui est un prolongement de son corps, où chaque pierre, chaque meuble sont imprégnés de la mélancolie du souvenir et de la marque de la douleur — Frida devient la prêtresse hiératique d'un culte dont Diego Rivera est le centre, qui la relie à tout l'univers, à chaque parcelle vivante de son invincible amour. Le jardin fermé de hauts

1. In Raquel Tibol, *op. cit.*, p. 230.

murs de la *Maison Bleue*, avec ses plantes qui
s'étirent vers la lumière du ciel — troncs lisses
des magnolias, feuillage cendré des ahuehuetes,
enlacement des feuilles et des lianes —, devient
une sorte d'univers clos où Frida peut trouver le
monde entier maintenant qu'elle ne voyage
plus guère — les animaux familiers, les oiseaux,
les chiens nus *itzcuintle* achetés au marché de
Xochimilco qui deviennent ses effigies — ces
escuinclas qui, par leur nudité et leur fragilité, et
aussi par cet air un peu triste venu du fond des
âges, représentent pour Frida les archétypes de
la condition humaine.

Durant cette période qui suit le drame de la
rupture avec Diego, puis leur remariage, Frida
Kahlo retrouve son équilibre dans la peinture.
Dans ses autoportraits, elle apparaît dans son
rôle de prêtresse avec un visage un peu hautain,
figé, mais où les signes cruels de la douleur intérieure restent lisibles : ride amère autour des
lèvres, cernes sous les yeux, muscles du cou tendus, et surtout le regard, distant, brillant d'un
éclat fiévreux, et forçant devant elle, forant à
travers le tissu du réel une interrogation aiguë,
avide. Un regard toujours aussi provocant malgré les vicissitudes de l'existence, malgré le
poids de la douleur et les doses de plus en plus
fortes de calmants que Frida doit absorber.

On a beaucoup épilogué sur l'obsession de la
maternité chez Frida Kahlo. Dans son livre de

souvenirs, Guadalupe Rivera Marín, la fille de
Diego et de Lupe Marín, ironise à propos de ces
femmes qui ont toutes cherché à retenir Diego
en faisant des enfants[1]. Frida n'échappe sans
doute pas à cette fatalité. Elle y a, d'une certaine
manière, consacré toute sa vie, et le désir
d'enfant est devenu chez elle, au long des
années, une véritable hantise, mêlée de répul-
sion et d'horreur. L'accident terrible survenu
dans sa jeunesse n'est sans doute pas seul res-
ponsable de son incapacité à porter un enfant à
terme. Il y a eu aussi la part de la conformation
physique (bassin trop étroit, malformation
congénitale) — possiblement les suites d'une
syphilis contractée dans sa jeunesse — et aussi,
pour une grande part, le refus de la maternité
qui se mêle à son désir, qui ajoute la peur à
l'obsession et crée le complexe de culpabilité
qui s'exprime à travers toute son œuvre. Les
médecins ont cherché à comprendre cet
étrange sentiment sans vraiment y parvenir, se
réfugiant derrière les définitions de la science.
Immaturité sexuelle (déséquilibre hormonal)
ou incapacité physique, les diagnostics sont un
peu l'alibi qui permet à Frida de se réfugier
hors du réel. Mais le sentiment de culpabilité et
la projection du désir hantent toute sa vie. À
côté de Lupe Marín — si charnelle, si féconde
— ou de sa propre sœur Cristina, Frida ne peut

1. Guadalupe Rivera Marín, *Un río, dos Riveras*, Mexico, 1989.

que ressentir davantage sa difficulté d'être, sa
stérilité. À aucun moment elle ne l'oublie. Les
tableaux qu'elle peint ne sont pas ses enfants,
mais les artefacts avec lesquels elle peut masquer le mieux son refus d'être une femme
comme les autres, une femme voluptueuse et
féconde, comme l'idéal masculin le
commande [1]. Mais, d'une certaine façon, ils sont
aussi ses enfants, des projections de son amour,
parfois des messages qu'elle envoie, qui
l'entourent dans sa chambre, son studio, sa maison, avec les autres êtres qu'elle a choisis, ses
poupées, ses masques, ses *Judas* — ces effigies de
papier mâché utilisées dans les processions du
Vendredi saint, dans lesquelles Diego voyait
l'expression même de l'art populaire, éphémère
et étranger à toute idée de profit — et aussi tous
ces animaux qui vivent avec elle et qui sont ses
amis les plus constants : Granizo le cerf nain, ses
chiens nus Xolotl, Capulina et Kostic, son chat,
sa poule, son aigle Gran Caca Blanco, et surtout
le couple de singes-araignées, dont le célèbre
Fulang Chang qui figure sur ses autoportraits
dès 1937.

1. Eli Boutra, dans son essai *Mujer, ideología y arte* (Barcelone,
1987), analyse très clairement l'ambiguïté de la féminité de Frida,
dont « la peinture est un défi constant, une attaque irrévéren-
cieuse des valeurs de l'idéologie dominante. Frida se permet le
luxe, étant donné sa condition de femme, d'exprimer sans fard sa
vision de la vie et de la mort, avec du sang, ce liquide si proche de
la vie quotidienne des femmes et proscrit par l'art et par la
société » (pp. 57-58).

Jamais l'art n'a remplacé pour Frida la réalité de la maternité, mais il lui a permis de supporter cette contradiction, cette malédiction, de l'exposer comme une réalité extérieure et non de la garder comme un mal qui ronge. L'art, pour Frida, est une autre manière d'animalité, une pulsation naturelle, irréfléchie — et pour cela, les surréalistes furent enthousiasmés par sa peinture — une nécessité absolue qui la relie à un monde duquel la destinée l'a péremptoirement exclue. L'art, l'enfance, la beauté, la violence, l'amour sont étroitement et indissociablement mélangés, dans le luxe qu'elle crée autour d'elle, costumes indiens semblables aux tenues d'apparat des oiseaux et des plantes, masque dessiné à l'image d'une idole indienne, cheveux nattés et noués comme la coiffure rituelle de la *Tlazolteotl*, la déesse de la terre, magie de cette nature qui l'entoure et l'enlace, parfois la blesse et la torture, où les larmes brillent comme des diamants et le sang coule très rouge, le plus précieux des liquides.

C'est cette magie qui inspire Frida, la maintient en vie, et c'est cette même magie qui envoûte Diego Rivera, le fascine et le retient auprès d'elle, malgré les tentations et le facile triomphe sensuel qui le font courir. Il y a chez Frida un mystère qu'il ne comprend pas, qui l'obsède, un sentiment de vide lorsqu'il s'éloigne d'elle, une insuffisance, un déséquilibre.

Après son retour dans la maison de son père, tandis que les problèmes physiques grandissent et la rendent prisonnière de son corps et de ce lieu — Frida perfectionne le système spirituel qui lui permet de survivre. La séparation, la rupture, et ce pont-levis qu'elle a installé entre elle et Diego (le pont qui reliait leurs deux studios à San Angel, et qu'elle fermait lorsqu'elle voulait être seule) lui permettent d'atteindre à une certaine harmonie. Maintenant, elle est véritablement au centre de son monde qu'elle regarde girer lentement autour d'elle. Diego, l'enfant éternel, le soleil, l'origine de tout, est le principe de lumière de cet univers. La cruauté de Diego, ses trahisons, les flèches qu'il tire dans son corps sont d'une certaine façon l'accomplissement de cet équilibre universel, dans lequel souffrance et bonheur ne forment qu'un — la créature éternellement unie à son créateur par le sang du rite.

Avec Diego, Frida joue dès lors un autre jeu, dont elle détient seule les règles et dont elle est parfaitement la maîtresse. C'est un jeu souvent cruel, dont Diego est le bénéficiaire — au fond, le jeu éternel de l'amour et de la haine dans lequel l'homme est libre et commande à ses sens et à son désir, et dans lequel la femme est asservie et détentrice de l'amour. C'est le jeu auquel Frida consent, et qui lui donne à la fois la souffrance et l'orgueil de sa vie.

Les années qui suivent leur remariage sont les années les plus contradictoires de la vie de Diego. Il sait qu'il ne peut vivre sans Frida, il sait qu'elle est son seul amour, sa seule raison de vivre. « *Niñita de mis ojos* », prunelle de mes yeux, écrit-il dans les mots qu'il lui envoie.

En même temps, il connaît l'accomplissement de l'amour physique, dont la peinture est chez lui l'unique expression. S'il est vrai que Diego est à beaucoup d'égards un réactionnaire en amour — qui réduit le rôle des femmes à celui de mères fécondes ou de putains dispensatrices de jouissances —, l'extraordinaire force de Frida donne un sens à son appétit des plaisirs. Il est en quelque sorte l'intermédiaire entre le monde difficile qui se refuse à Frida et cet univers où tout s'harmonise, et dans lequel elle tient le rôle de la déesse-mère.

Chez Diego, à mesure que s'affirme l'idéal révolutionnaire — dont la bataille du Centre Rockefeller a été le moment culminant —, grandissent l'obsession de la jouissance et le désir des formes du corps. Les nus cosmiques de Chapingo, le corps gigantesque de Lupe Marín flottant au-dessus de la terre, pareil aux nus célestes de Modigliani, ont amené d'autres corps de femmes plus réelles, plus sensuelles. À partir de 1935, les femmes sont indiennes, pour la plupart, saisies dans leur impudeur tranquille :

ainsi les *Baigneuses* sur la plage de Salina Cruz, à Tehuantepec, à la fois simples et incompréhensibles comme les Tahitiennes de Gauguin. Ainsi *Modesta*, la fille de Coyoacán qui naguère a servi de modèle à Diego quand elle était enfant, et qui, devenue femme, pose pour lui dans son extraordinaire nudité, à genoux, de dos, en train de peigner sa longue chevelure. Diego exhibe avec une sorte d'admiration sensuelle la robustesse du corps de l'Indienne, la largeur de la poitrine et du dos, les muscles des reins, la couleur somptueuse et sombre de la peau, tout ce qui fait la force et la jeunesse de la race des anciens Mexicains.

C'est une époque économiquement difficile pour Diego Rivera. Après le travail au Palais National, l'État ne lui commande plus de fresques. Le grand mouvement muraliste, né de la révolution, est en déclin. On ne lui fait plus la même confiance. La crise causée par le refus du gouvernement devant les fresques de Juan O'Gorman — qui condamnait sans ambiguïté l'alliance contre nature entre le Mexique et l'Allemagne hitlérienne — a coïncidé avec le déclin de la peinture murale en tant qu'art populaire.

Pour survivre, Diego et Frida peignent des tableaux de commande, des portraits de bourgeois fortunés de Mexico, et de leur progéniture. Frida peint le portrait de l'ingénieur

Eduardo Morillo Safa et de sa famille (la mère d'Eduardo, doña Rosita, qu'elle considère comme un de ses meilleurs tableaux), les portraits de Marucha Lavin, de Natasha Gelman, de Marte Gómez, et surtout ses propres portraits qu'elle dédicace à ses « clients », Sigmund Firestone, le docteur Eloesser, et même Maria Félix qu'elle considère comme une amie malgré les rumeurs de liaison entre elle et Diego.

Diego Rivera peint lui aussi des portraits sur commande : la famille de Dolores G. de Reachi, le portrait de l'actrice Dolores del Río, du docteur Ignacio Chavez de Montserrat, de Carmelita Avilés (qu'il représente à la manière de Frida, vêtue en Indienne, et portant la dédicace), les portraits de la señora Gutiérrez Roldán, de la señora Elisa Saldivar de Gutiérrez, ou encore l'extraordinaire portrait de Maria Félix (en 1949) portant cette dédicace amoureuse : « Cette image fut peinte en signe d'admiration, de respect et d'amour pour Maria de los Angeles Félix, celle que le Mexique a donnée au monde pour le remplir de lumière. »

Mais si Frida ne change guère de manière lorsqu'elle s'adresse à son public — cette raideur provocatrice, l'absence de toute concession et un souci d'exactitude dans les traits, jusqu'à la cruauté — il y a au contraire, chez Diego, une chaleur, une tendresse qu'il communique à ses modèles, une sorte de perfection sensuelle qui s'approche de la volupté. Il peint les femmes surtout, enveloppées dans la lumière de leur beauté, à la fois étrangères et réelles dans leurs atours, comme des fleurs tropicales : yeux brillants, lèvres sensuelles, douceur de la peau, fragilité érotique de la ligne du corps sous les vêtements, dans les ondes de la chevelure.

Il y a toujours ces visages croqués sur le vif, les enfants du voisinage, amis de Frida, les femmes du marché de Coyoacán, ou de San Jeronimo, ou du *pedregal* de San Pablo Tepetlapa (là où il fait construire l'*Anahuacalli*, son temple-musée). La sensualité de Diego s'exprime de mille façons, dans les nus qu'il peint à la manière de Matisse, la figure érotique et primordiale de la danseuse noire Modelle Boss, la *Gordita* (qui inspira le peintre colombien Fernando Botero), les nus de Nieves Orozco ou cette commande qu'il accepte en 1943 pour le bar Ciro's de l'hôtel Reforma, ivresse des corps de femmes nues, ivresse de l'alcool, ivresse des fleurs pareilles à des sexes ouverts.

Et aussi, et surtout, ces figures du quotidien, que Diego dessine depuis toujours, depuis qu'il a repris pied avec la réalité mexicaine, au retour de l'Europe, et qui sont les symboles de son amour charnel pour la terre indienne. Figures arrondies des enfants, des jeunes filles, les nus indiens anonymes, les dos des femmes penchées sur les *metates*, les pierres à moudre, la beauté sans pareille des vendeuses de fleurs, leurs bras ouverts sur les calices immaculés des *alcatraces* (les arums), et ces dessins linéaires des gens de la rue, les vendeuses de maïs, les porteuses de bois, les filles qui reviennent de la fontaine, la jarre sur l'épaule droite, les hommes au travail, les vieux au visage marqué de rides pareilles à des cicatrices, tous ces mouvements arrondis, usés comme la peinture sous le temps, comme la terre sous le vent, les corps offerts au passage des saisons, instants de vie magiques quand les femmes et les hommes étaient le pain très doux des dieux immortels.

L'amour charnel de Diego pour le monde qui l'entoure, c'est pour beaucoup à Frida qu'il le doit. Quelque chose de la douleur intense de sa femme est entré en lui, l'a transformé, uni à cette expérience surhumaine. Le « monstrueux bébé » dont parlait Élie Faure à ses amis parisiens est devenu véritablement l'enfant de Frida, qu'elle met sans cesse au monde et qui prolonge sa propre existence.

En 1949, à l'occasion de la grande exposition de l'Institut national des beaux-arts qui célèbre les cinquante ans de création de Diego Rivera, Frida écrit pour la première fois publiquement l'amour qu'elle porte à Diego :

« Je ne parlerai pas de Diego comme de "mon mari", car ce serait ridicule. Diego n'a jamais été et ne sera jamais le "mari" de personne. Non plus comme d'un amant, parce qu'il dépasse de beaucoup les limites de la sexualité. Et si je parle de lui comme d'un fils, je ne fais rien d'autre que décrire ou peindre ma propre émotion, pour ainsi dire mon propre portrait, et non celui de Diego. [...]

« Le voyant nu, on pense immédiatement à un enfant grenouille debout sur les pattes arrière. Sa peau est d'un blanc tirant sur le vert, comme celle d'un animal aquatique. [...]

« Ses épaules enfantines, étroites et arrondies, se continuent sans angle par des bras féminins, terminés par des mains merveilleuses, petites et d'un dessin très fin, sensibles et subtiles comme des antennes qui communiquent avec l'univers tout entier [...]

« Son ventre énorme, doux et tendre comme une sphère, repose sur ses jambes robustes, belles comme des colonnes, terminées par de grands pieds ouverts vers l'extérieur, en angle obtus, comme pour recouvrir toute la terre et se maintenir sur elle sans rupture, comme un être antédiluvien duquel émerge, de la ceinture vers le haut, un exemplaire de l'humanité future, en avance sur nous de deux ou trois mille ans [...]

« La forme de Diego est celle d'un monstre séduisant, que l'aïeule, la Grande Occultrice, matière nécessaire et éternelle, la mère des hommes et de tous les dieux qu'ils inventèrent dans leur délire, nés de la peur et de la faim, LA

FEMME — et entre toutes MOI —, voudrait garder pour toujours dans ses bras comme un enfant nouveau-né[1]. »

Dans les pages de son Journal, Frida marque les mots qui se bousculent, les poèmes qui naissent dans sa bouche :

« Diego. C'est tellement vrai que je ne voudrais ni parler, ni dormir, ni entendre, ni rien vouloir.

« Me sentir enfermée sans avoir peur du sang, sans temps et sans magie, à l'intérieur de ta propre peur et de ton angoisse, dans le bruit de ton cœur. Toute cette folie, si je te le demandais, je sais que cela serait seulement du bruit dans ton silence. Je te demande violence, dans ma folie, et tu me donnes tes bienfaits, ta lumière et ta chaleur. »

Dans un poème qu'elle n'envoie pas à Diego (mais qu'il recevra de Teresa Proenza trois ans après la mort de Frida et quelques jours avant sa propre mort), elle dit :

« Dans la salive
dans le papier
dans l'éclipse
Dans toutes les lignes
Dans toutes les couleurs
dans toutes les jarres
Dans ma poitrine
en dehors, en dedans

---

1. In Raquel Tibol, *op. cit.*, pp. 100-101.

dans l'encrier dans la difficulté d'écrire dans la merveille de mes yeux dans les ultimes lunes du soleil (mais le soleil n'a pas de lunes) dans *tout* et dire dans tout est stupide et magnifique DIEGO dans mon urine DIEGO dans ma bouche dans mon cœur dans ma folie dans mon rêve dans le papier buvard dans la pointe de la plume dans les crayons dans les paysages dans la nourriture dans le métal dans l'imagination dans les maladies dans les vitrines dans ses ruses dans ses yeux dans sa bouche dans ses mensonges. »

L'amour incruste le visage de Diego dans le front de Frida comme un bijou douloureux, et le visage de l'aimé devient parfois celui de la mort. L'amour ouvre un troisième œil sur le front de Diego, un œil d'éternité. L'amour ne peut être autrement qu'une folie qui préserve de tout le mal réel.

« J'aimerais pouvoir être celle que j'ai envie d'être », écrit Frida dans le même Journal — « de l'autre côté du rideau de la folie. Je ferais des bouquets de fleurs toute la journée. Je peindrais la douleur, l'amour, la tendresse. Je me moquerais bien de la bêtise des autres, et tous diraient : pauvre folle. (Je rirais bien surtout de ma propre bêtise.) Je construirais mon monde, et tant que je vivrais il serait en harmonie avec tous les autres mondes. Le jour, l'heure et la minute que je vivrais seraient à la fois miens et de tout le monde. Ma folie alors ne serait pas un moyen de fuir dans le travail pour que les autres me gardent prisonnière de leur œuvre. La révolution est l'harmonie de la forme et de la couleur, et tout se meut et reste sous une seule loi : la vie. Personne ne se sépare de personne. Personne ne lutte pour soi seul. Tout est à la fois tout et un. L'angoisse, la douleur et le plaisir et la mort ne sont qu'un seul et même moyen d'exister. »

Sous le croquis de son tableau *La Colonne brisée* (où elle montre sa colonne vertébrale sous la forme d'une colonne grecque fracturée), elle note : « Attendre, avec l'angoisse secrète, la colonne brisée et le regard sans limites. Sans bouger, sur le vaste sentier, et mouvant ma vie cerclée d'acier[1]. »

L'amour que Frida invente pour Diego, dans la double prison de la *Maison Bleue* et du corset armé qui l'immobilise, est véritablement surhumain et elle est la seule à pouvoir le comprendre. Diego, le géant, l'ogre, le cannibale — le tyran et le prêtre de ce culte mystérieux, le créateur et la créature de ce mythe des temps modernes —, Diego est touché et chancelle, pris par le vertige de l'amour sans mesure qui le traverse et l'illumine sans qu'il en sache

1. Ces citations du Journal sont extraites du livre de Martha Zamora, *El Pincel de la angustia*, Mexico, 1987, pp. 229-232.

toute la raison. Sa rupture et le divorce ont été sa seule tentative d'échapper à ce sentiment qui le dévore et lui fait peur. En même temps, cette tentative était une atteinte portée à lui-même, dans la mesure où il se séparait alors de sa vraie raison d'être.

Dire le mythe n'est pas parler trop fort. L'amour qui unit Diego et Frida est la conjonction des deux principes fondamentaux de la vie, la confusion en un seul corps de l'homme et de la femme. Être séparé, c'est retourner au temps d'avant la rencontre, ou d'avant la naissance, quand l'esprit vivait dans l'indétermination et le déséquilibre de l'asexualité.

Par la recherche de la vérité du corps, par cette sorte de transe de la vie, la peur et le désir mêlés dans le regard des femmes, la fragilité du visage de l'indianité, et la force supérieure des hanches, des seins, des cuisses, la toison des pubis et l'onde des chevelures, Diego Rivera exprime l'union avec le monde et son union avec Frida.

Dans un de ses tableaux les plus complexes, peint en 1949, *L'Embrassement d'amour entre l'Univers, la Terre, moi, Diego, et M. Xolotl du Mexique*, Frida recrée tout ce qui fait sa vie : la nourrice indienne au corps végétal, la force du yin et du yang, ou la divinité aztèque de la dualité, et, dans les bras de la Tehuana, le bébé androgyne Diego, portant l'œil de la science au front et la flamme du cœur arraché entre ses mains —, et, lové aux pieds de sa maîtresse, le seigneur Xolotl, le chien couleur de cacao qui, selon le mythe des anciens Mexicains, doit un jour l'aider à passer le fleuve de la mort pour atteindre la Maison du Soleil.

Le jeu cruel de l'amour et de la haine, qu'elle a joué si longtemps avec lui, est maintenant le jeu infini de la vie. Chaque parcelle arrachée au néant la nourrit, prolonge sa substance, comme la lumière trop forte du soleil et la violence sanglante des sacrifices. Frida est devenue alors une déesse, qui entre dans le corps de son amant et le possède, et partage tout ce qu'il prend. Elle est véritablement la Tlazolteotl, la déesse de la terre, de l'amour charnel et de la mort. Elle est devenue la Coatlicue, la déesse à la jupe de serpents, que Diego a représentée dans la fresque de Treasure Island à San Francisco, masque de serpent et corps couvert d'une peau humaine, portant sur sa poitrine le crâne de la mort — cette mère éternelle du Mexique qui domine le *Moïse* de Frida et donne naissance à tous les héros de l'humanité, tandis que, sous le soleil déchirant, flotte dans le secret de l'utérus l'éternel enfant prêt à naître.

LA FÊTE INDIENNE

Dans le portrait qu'elle fait de Diego avec des mots d'amour, Frida dit : « Je m'imagine que le monde dans lequel il voudrait vivre est une grande fête à laquelle chaque être humain et toutes les créatures prendraient part, des hommes jusqu'aux pierres, et jusqu'aux soleils et aux ombres : tous œuvrant avec lui, avec son idée de la beauté et son génie créateur. Une fête de la forme, de la couleur, du mouvement, du son, de l'intelligence, de la connaissance, de l'émotion. Une fête sphérique, intelligente et amoureuse, qui couvrirait toute la surface de la terre. Pour faire cette fête, il lutte continuellement et donne tout ce qu'il a : son génie, son imagination, ses paroles et ses actions. Il lutte à chaque instant pour effacer dans l'homme la stupidité et la peur[1]. » Elle relie sa conviction révolutionnaire à son amour du Mexique, « qui contient, comme la Coatlicue, la vie et la mort ».

1. In Raquel Tibol, *op. cit.*, pp. 107-110.

C'est sans doute ce lien qui est au cœur de la relation entre Diego et Frida, qui unit leur couple en dépit des médiocrités de l'existence : « Aucun mot ne peut décrire l'immense tendresse de Diego pour toutes les choses qui contiennent la beauté, dit Frida. Son amour pour les êtres qui n'ont rien à voir avec la société de classes actuelle, son respect pour ceux-là qu'elle opprime. Il éprouve un sentiment d'adoration spécialement pour les Indiens auxquels il est rattaché par les liens du sang. Ce qu'il aime surtout chez eux, c'est leur élégance et leur beauté, car ils sont la fleur vive de la tradition culturelle de l'Amérique[1]. »

Frida, comme Diego, a inventé le passé indien du Mexique. Chez lui, la rencontre est plus spontanée, plus sensuelle, et chez elle sans doute plus réfléchie, onirique même ; mais c'est cette rencontre qui symbolise leur amour, leur vie commune. Pour Diego, le monde indien, c'est avant tout sa nourrice Antonia, l'Indienne otomi qui l'a élevé, qui lui a donné le goût de la nature, et qu'il a aimée d'un amour infini, beaucoup plus que sa propre mère[2]. Frida a représenté sa nourrice indienne de façon plus imaginative, dans le tableau où elle se montre enfant, suçant le lait d'une géante au masque préhispa-

---

1. In Raquel Tibol, *op. cit.*, pp. 107-110.
2. Le seul portrait d'Antonia par Diego Rivera figure dans le livre de Leah Brenner, *An Artist Grows up in Mexico*, New York, 1945.

nique, à la fois effrayant et sublime. Pour Diego comme pour Frida, c'est ce lien charnel avec le monde indien qui donne sens à leur vie, les rattache à la terre mexicaine.

Dès son retour au Mexique, Diego confond la cause indigéniste avec la cause révolutionnaire. Après son voyage initiatique au Yucatán et au Campeche, il s'enflamme pour tout ce qui est « authentiquement américain », et compare le leader Felipe Carrillo Puerto au grand Nichi-Kokoom, le chef suprême des Mayas de Chichen Itza. La visite du temple des jaguars, orné de peintures murales, est le point de rencontre de l'expression populaire et du sacré du Nouveau Monde. Toute sa technique de la peinture et du dessin est, par la suite, une tentative de restituer le rituel préhispanique de l'art, ses formes, ses méthodes de broyage et de fixation des couleurs, jusqu'aux mouvements et aux symboles des figures.

Il n'est pas le seul ni le premier à choisir le monde indien pour modèle. Avant Diego, il y a eu Hermenegildo Bustos, dont la peinture minutieuse rappelle celle des ex-voto, et Saturnino Herrán qui peint des adolescents indiens dans une pose ambiguë, maniériste. Mais Diego est le premier à exprimer véritablement le monde indien, sa force de vie, son exubérance colorée, son martyre quotidien aussi. Si les fresques de la Preparatoria (commencées en

1922) sont encore très proches de l'Europe de la Renaissance — lourdeur des corps masculinisés, visages tragiques —, c'est dans les fresques du ministère de l'Éducation, à partir de 1923, que Rivera montre ce qu'il recherche dans la réalité indigène : le peuple opprimé porte en lui la révolution, la reconquête de sa liberté, mais aussi les thèmes profonds de la culture mexicaine : la pluie, les travaux des champs, les portefaix courbés, l'obsession de la mort et les rituels de la *misa milpera*, la communion des travailleurs sous les espèces de la soupe de graines de calebasse et de la *tortilla* de maïs[1]. C'est dans cette réalité que Diego Rivera puise les éléments de sa foi révolutionnaire. Le monde indien, c'est la révolte contre l'ordre bourgeois, contre l'idée de péché imposée par la religion chrétienne, contre l'hypocrisie puritaine et l'asservissement aux forces de l'argent — l'équivalent des photos subversives d'Edward Weston au Mexique —, le *pissing Indian* de Tepotzotlan — ou de la *furia* populaire racontée dans la geste de John Reed.

À son retour d'Europe, en 1921, Diego Rivera avait trouvé le Mexique en pleine ébullition

---

1. La cérémonie de la messe fut adoptée spontanément par les populations indiennes au xvie siècle, particulièrement au Yucatán et sur le haut plateau central. Cette messe, où le maïs (cultivé dans les *milpas*) symbolisait le dieu jeune identifié au Christ, a survécu jusqu'aux temps modernes, et joua même un rôle dans la guerre des Mayas Cruzoob au Yucatán et au Quintana Roo.

culturelle. Pour la première fois, les artistes, les intellectuels se préoccupaient du monde indien, non seulement dans ses réalisations artistiques prestigieuses de Teotihuacán ou de Chichen Itza, mais aussi dans sa culture populaire et dans la richesse de son folklore. Le mouvement costumbriste, né durant la période coloniale — avec le fameux *Periquillo Sarniento* de Fernández de Lizardi —, trouve un terrain propice dans les idées et utopies de l'après-révolution. Diego est un des acteurs déterminants de ce renversement des valeurs, aux côtés d'écrivains comme Anita Brenner (*Idols behind Altars*), Martín Luís Guzman (*L'Aigle et le Serpent*), Gregorio López y Fuentes (*El Indio*) ou Ramón Rubín (*Cuentos de Indios*) — des ethnographes et des folkloristes, Riva Palacio, Carlos Basauri, Gamio, et Vicente Mendoza, fondateur de l'Institut d'études folkloriques en 1936 — et la majeure partie des peintres contemporains : Roberto Montenegro, David Alfaro Siqueiros, José Clemente Orozco, Carlos Mérida, le « docteur » Atl, Jean Charlot, Xavier Guerrero, Rufino Tamayo.

Dans *Mexican Folkways*, une revue publiée par Frances Toor et Diego Rivera, le peintre lance pour la première fois l'idée de l'art populaire mexicain exposé sur les façades des *pulquerías* (ces cantines où l'on débite le jus fermenté de l'agave) — et aussi dans les églises : « uniques lieux que la bourgeoisie a laissés en toute propriété au peuple, parce que les tavernes et les sanctuaires jouent le même rôle, et que l'alcool et la religion sont de bons stupéfiants ». Diego enchaîne sur une énumération de noms de *pulquerías* dans lesquels il perçoit, à la manière des surréalistes, une sorte de poésie spontanée :

« La Grande Étoile. Voyons-nous ce soir. La promenade des filles. Marché de viande. La Dame de la Nuit. L'Amérique. Les hommes savants sans étudier. Au cœur de l'Agave. L'ombre de la nuit entoure le monde. La Révolution [1]. »

Seize ans plus tard, Frida met en application les idées de Diego. Chargée de cours à l'École de peinture et de sculpture appelée « La Esmeralda » (parce qu'elle se trouve au numéro 14 de la ruelle de la Esmeralda, dans la colonie Guerrero), elle emmène ses élèves sur le terrain pour qu'ils apprennent à saisir la beauté de la vie quotidienne. Et quand elle est trop malade pour se rendre jusqu'au centre de Mexico, c'est à Coyoacán que les cours ont lieu, au marché où ils décorent la *pulquería* « La Rosita », à l'angle des rues de Londres et Aguayo.

C'est aussi l'époque où elle constitue sa collection de tableaux populaires, pour la plupart des ex-voto. La fermeture des églises au temps de Plutarco Elias Calles et la guerre ouverte

---

1. *Mexican Folkways*, juin-juillet 1926.

contre les *Cristeros* (ces paysans du Centre et de
l'Ouest soulevés pour défendre le Christ-roi)
avaient permis le pillage des œuvres d'art, et
particulièrement des tableaux et des retables
primitifs. Le lien de la peinture de Frida Kahlo
avec ces peintures naïves est évident. Pour elle,
c'est une peinture qui se nourrit du réel, faite
de signes et de symboles, et qui agit comme un
exorcisme. Au contraire des théoriciens du
communisme qui n'y voient que la manifestation d'une force d'aliénation, Frida Kahlo
ressent dans cet art populaire la même nécessité, la même interrogation angoissée que celles
qui habitent sa propre peinture. Comme pour
le monde indien qui crée cette peinture, il s'agit
pour elle de l'ultime langage, de l'unique
moyen d'expression d'une masse vouée au
silence par la force oppressante de la culture
bourgeoise. Frida Kahlo ne pouvait manquer de
s'identifier à cette peinture, elle qui, par sa
condition féminine, par la solitude de la douleur, et par l'éloignement de Diego, se trouvait
elle aussi vouée au silence, n'ayant que ses pinceaux et ses couleurs pour s'exprimer et rêver à
un espoir plus fort et plus vrai que le réel.

C'est l'époque où Diego et Frida vivent près
l'un de l'autre, mais divisés par l'incommensu-
rable distance qui sépare la *Maison Bleue* de
Coyoacán de l'atelier de San Angel. Le contrat
équivoque exigé par Frida lors de leur rema-

riage, c'est Diego qui le met en application.
Avec la douce cruauté qui le caractérise, il
impose à Frida l'épreuve de vérité de la solitude, une solitude parfois insupportable pour
elle à cause de la douleur. Les opérations et les
rechutes la clouent dans sa chambre-atelier où
elle construit cet amour absolu qui la dévore
comme un rêve trop vaste pour sa nuit.

Tandis que Diego Rivera est au centre du
tohu-bohu de sa vie mondaine, à l'hôtel
Reforma où il peint le *Rêve d'un après-midi dominical*, travaillant aux fresques du Palais National
ou à celles de l'Institut de cardiologie, Frida ne
peut que construire inlassablement son alpha-
bet de l'imaginaire :

« Vert : lumière tiède et bonne.

« Solferino : *Tlapalli* aztèque. Sang séché de
figue de Barbarie. Le plus vieux, le plus vif.

« Café : couleur de *mole*, de feuille qui tombe.
Terre.

« Jaune : folie, maladie, peur. Partie du soleil
et de la joie.

« Bleu de cobalt : électricité, pureté. Amour.

« Noir : rien n'est vraiment noir.

« Vert feuille : feuilles, tristesse, savoir. L'Allemagne est tout entière de cette couleur.

« Jaune vert : encore davantage la folie, le
mystère. Tous les fantômes sont vêtus de robes
de cette couleur... en tout cas, leurs sous-vête-
ments.

« Vert sombre : couleur de mauvais augure et de bonnes affaires.

« Bleu marine : distance. La tendresse est parfois de ce bleu.

« Magenta : sang ? qui sait[1] ? »

La fête indienne est sa magie, son almanach sacré. De plus en plus, la peinture lui renvoie son image comme l'unique réalité de sa vie. En 1943, dans un hommage à Frida, Diego parle de ses « retables » :

« Frida est l'unique exemple dans l'histoire de l'art d'une personne qui s'est déchiré la poitrine et le cœur pour rendre compte de la vérité biologique qu'ils contenaient, et qui, possédée par la raison-imagination qui va plus vite que la lumière, a peint sa mère et sa nourrice, sachant en réalité que leurs traits lui étaient inconnus, le visage de la nénène nourricière est seulement un masque indien de pierre dure, et ses glandes, pareilles à des grappes qui dégouttent de lait en une pluie qui féconde la terre, en larmes qui fécondent le plaisir ; et la mère, la *mater dolorosa* aux sept coups de couteau de douleur qui libèrent l'effusion d'où émerge l'enfant Frida, unique force humaine qui, depuis que le puissant artiste aztèque osa sculpter un accou-

---

1. Journal de Frida Kahlo, in Raquel Tibol, *op. cit.*, p. 132.

chement dans le basalte noir, a représenté sa propre naissance dans toute sa réalité[1]. »

L'évocation de la déesse parturiente, qui accouche accroupie, une grimace de douleur sur son visage, scelle le pacte moral et esthétique qui unit éternellement Diego et Frida.

Une autre image du monde indien va devenir peu à peu le symbole de l'amour de Diego et de Frida : la *sandunga*. Cette danse étrange au nom africain, d'abord très lente, puis dont le mouvement s'accélère progressivement, mélange de rituel religieux et de parade amoureuse, les longues robes des Tehuanas balayant le sol, les coupes chargées de fruits posées sur leurs têtes bien droites, tandis que l'homme qui mène la danse tourne en brandissant une croix païenne chargée de fleurs, est l'expression même de la force érotique du monde préhispanique, éternellement vivante malgré la violence et l'asservissement de la Conquête. Tout au long de sa vie, Frida est possédée par cette danse, par ses lents tourbillons, par le visage presque extatique des Tehuanas, que la charge en équilibre au sommet de leur tête oblige à ce port de déesses, buste immobile, bras écartés et lente oscillation du bassin, cette danse qui semble unir dans son mouvement la ferveur ancienne de l'Inde des gitanes, l'orgueil de la musique andalouse, et la

---

1. Diego Rivera, *Arte y Política*, Mexico, 1979, p. 247.

puissance sensuelle de l'Amérique indienne, son rituel de fécondation, sa fièvre de vivre.

En 1929, quand Frida épouse Diego, c'est une robe de Tehuana qu'elle revêt pour changer d'apparence, pour quitter le costume de militante du Parti, jupe droite et chemise rouge imitées de Tina Modotti. Et ce n'est pas par hasard qu'elle choisit ce costume qui plaît tant à Diego. La femme de Tehuantepec ou de Juchitán, à l'époque, est devenue l'incarnation de la résistance indigène, et, de plus, l'emblème du féminisme — d'un féminisme essentiel, du triomphe de la liberté de la femme indienne. La légende du matriarcat de Tehuantepec fascine tous les intellectuels de l'entre-deux-guerres, poètes, essayistes et surtout peintres. Pour Saturnino Herrán, le costume ne sert qu'à mettre en valeur des modèles de type andalou, dans un éblouissement de dentelles et de couleurs un peu mièvre. Mais pour Diego Rivera comme pour Orozco, Tamayo, Roberto Montenegro ou María Izquierdo, la femme tehuana est inséparable de son pays, cette côte de Tehuantepec, si chaude, si violente, désert tropical, avec ses villages écrasés de soleil et la fête indienne qui résonne dans la nuit.

En 1925, 1928, puis au retour des États-Unis, en 1934, 1935, c'est à Tehuantepec que Diego Rivera va se ressourcer quand il a besoin de ces images fortes, paysages de l'Éden, mais un Éden âpre et poussiéreux, et ces rivières où les femmes aux dos larges, aux épaules de cariatides se baignent nues en toute innocence. Les femmes au bain de Diego Rivera, sur la plage de Salina Cruz, sont ses *Baigneuses* de Cézanne ou ses vahinés à la manière de Gauguin. C'est la même nonchalance, la même provocation innocente, la même apparence : longue jupe multicolore, buste dénudé, et la chevelure tressée mêlée de fleurs d'hibiscus. On fait le voyage à Tehuantepec, dans les années 30, pour retrouver le mythe du paradis terrestre, comme le note le cinéaste Sergueï Eisenstein dans son Journal : « L'Éden n'était nulle part dans la région entre le Tigre et l'Euphrate, mais évidemment ici, dans un lieu qui se trouvait entre le golfe du Mexique et Tehuantepec[1]. » Edward Weston, Tina Modotti, Lola Alvárez Bravo et beaucoup d'autres reviennent de Tehuantepec et de Juchitán avec d'extraordinaires clichés de ces femmes si belles, si audacieuses, qui gèrent le commerce dans les villages de l'isthme et vivent une sexualité épanouie, libre de toute notion de péché et de tout interdit. Paul et Dominique Éluard, qui voyagent au Mexique au moment de l'exposition surréaliste, sont tellement enthousiasmés par la beauté et la liberté

1. In Elena Poniatowska et Graciela Iturbide, *Juchitán de las mujeres*; Mexico, 1989, p. 17.

des femmes tehuanas qu'ils décident même de s'y marier selon le rituel indigène.

C'est le modèle tehuana que Frida suit d'abord, instinctivement, et qui devient ensuite sa seconde nature, sa personne extérieure, son armure. Elle s'habille comme elles, se coiffe comme elles, et parle comme elles, avec la même audace et la même sincérité, dont le romancier Andrés Herrestrosa dit : « Chez les femmes de Juchitán, il n'y a aucune inhibition, ni rien qu'elles ne puissent dire ou faire [1]. »

Ces femmes que Vasconcelos décrit « ornées de colliers et de pièces d'or, portant leurs blouses bleues ou orange, qui blaguent ou marchandent avec des voix enflammées [2] » — ces femmes qui sont le symbole de l'indianité, et en même temps font penser aux gitanes, comme le dit Olivier Debroise, par le mélange de « rébellion féminine, de sexualité libre, de commerce ambulant et de magie », sont pour Frida tout ce qu'elle veut être elle-même : des « tours qui marchent » telles que les décrit Elena Poniatowska dans le beau livre d'images de Graciela Iturbide qui montre bien les Tehuanas dans leur sublime permanence. Le rythme lent de la *sandunga* emporte Frida dans ses rêves, éternellement aux côtés de Diego, dans le cercle rituel de la danse, offrande de fertilité et tourbillon

1. In Elena Poniatowska et Graciela Iturbide, *op. cit.*, p. 12.
2. José Vasconcelos, *Ulises Criollo*, Mexico, 1985, II, 1981.

vertigineux de l'amour « la *sandunga* est l'hymne de Tehuantepec comme la *llorona* est celui de Juchitán, toutes deux musiques qu'on peut valser, ah, pauvre de moi, *llorona, llorona, llorona* d'hier et d'aujourd'hui, en avant, en arrière, la jupe balayant un cercle sur le sol que frappent les pieds nus. Les chansons ancestrales sont délicates, mélancoliques et lentes, jouées sur des instruments primitifs, conques, bongos, tambours *(baquetas)*, les marimbas rapportées d'Afrique, les flûtes en bois et en bambou qu'on appelle *pitos*, le tambour qu'on appelle *caja*, et le *bigu* indien, la carapace de tortue qui pend au cou du musicien [1]. »

Mystérieuse comme les profondeurs de la mer, la *Tehuana del hondo mar* que célébrait le poète juchitèque Juan Morales [2].

Femme dans laquelle Weston voyait l'héritière des antiques Atlantes, si libre, si belle, si heureuse de son corps et de son destin, que la *sandunga* emporte dans le rêve de Frida, dans l'éternité de la fête indienne — jusqu'au bout du rêve, puisque c'est dans l'éblouissant costume de la Tehuana qu'elle interroge le monde, portant le sceau de Diego au front, pareille à une mariée prisonnière de son propre pouvoir.

Et c'est dans la longue robe blanche qu'elle quitte le monde des hommes.

1. Elena Poniatowska et Graciela Iturbide, *op. cit.*, p. 12.
2. Filadelfo Figueroa, *Tehuana y Sandunga*, Oaxaca, 1990.

LA RÉVOLUTION,
JUSQU'AU BOUT

Même s'ils sont tous deux issus de la petite bourgeoisie qui bénéficiait de l'ère de Porfirio Díaz, Diego Rivera et Frida Kahlo n'ont pas eu la même expérience de la politique. La prise de conscience de Diego a été lente et mûrie par l'expérience européenne, par le choc de la guerre, par la rencontre à Montparnasse d'Ilya Ehrenbourg, de Picasso, d'Élie Faure, par ses relations avec la petite communauté d'immigrés venus de Russie, où circulait avant 1914 le ferment de la révolution. Frida Kahlo, elle, fut à la fois beaucoup plus intuitive et beaucoup plus passionnée. À sa confidente de la fin de sa vie, Raquel Tibol, elle avouait : « Ma peinture n'est pas révolutionnaire. Pourquoi essaierais-je de me faire croire que ma peinture est combative ? Je ne peux pas[1]. » La révolution de Frida n'est pas celle de Diego. Son combat, en effet, n'a rien à voir avec l'engagement politique, ni avec

1. In Raquel Tibol, *op. cit.*, p. 132.

la finalité éducative que le Parti assigne à l'art. Toute sa vie, elle reste en retrait de Diego dans la lutte politique, même si elle est avec lui, au premier rang des manifestations, à ses côtés chaque fois que cela est nécessaire. Il y a quelque chose d'ambigu, de difficultueux dans sa volonté de soutien aux communistes, quelque chose de contradictoire qui l'empêche de soumettre son art à la ligne de conduite du Parti. Pour Frida, l'art n'est ni un moyen de communication, ni une symbolique. C'est, littéralement, son seul moyen d'être elle-même, d'exister, de survivre à la ruine des sentiments et du corps. L'art, au fond, est sa seule intégrité, et c'est pourquoi elle ne peut rien accepter qui en limite la liberté, qui en dénature le sens — aucune appropriation. Elle a refusé la tutelle des surréalistes, et de la même façon, jusqu'au bout, elle refusera pour son art l'interprétation politique et les facilités d'une finalité.

Il lui suffit de suivre l'homme qu'elle aime à travers toutes ses aventures politiques. Peindre, pour Frida, c'est justement cela, dire son amour pour Diego, dire la souffrance de cet amour, sa limite terrestre et sa propre croyance dans l'éternité de l'amour. Le dire pour elle, pour lui avant tout, comme si le reste du monde n'avait guère d'importance.

En retrait, elle observe le mouvement des passions humaines, l'ambition dévorante, la trahi-

son, la jalousie, les complots ourdis, et aussi
cette comédie sérieuse que les hommes inlassablement se jouent sur la scène politique.
Diego Rivera est sous son regard — un regard
amoureux, colérique, quelquefois critique avec
violence, jamais indifférent. C'est ce regard qui
le change, qui modifie ses décisions. C'est ce
regard qui l'inspire dans sa conduite. Aucune
autre femme n'a joué pour lui ce rôle. Le
regard de Frida, en retrait, et sa foi inébranlable
dans l'amour qui les unit éternellement sont la
seule logique de son engagement politique.
Toute sa vie, Diego Rivera oscille entre l'appar-
tenance au communisme et l'expression de son
individualisme, comme il oscille entre la tentation de l'existence — l'action, la conquête
amoureuse, les voyages, le pouvoir de l'argent
— et cette part intérieure de lui-même, le visage
de Frida au fond de son être, avec ce regard
noir et brillant, moqueur, angoissé et interroga-
teur qui s'est posé sur lui pour la première fois
dans l'amphithéâtre de l'École préparatoire,
quand jeune fille, presque encore enfant, elle a
osé s'avancer jusqu'aux échafaudages pour le
regarder.

Lui, qui est alors tout juste sur le seuil de la
gloire, le peintre déjà contesté, célébré par tous
les grands noms de l'art moderne et jalousé par
tous les critiques de son pays, au centre d'un
brouhaha d'honneurs et de femmes, le chef

reconnu du mouvement des muralistes, il est
touché par ce qu'il lit dans ce regard qui lui est
diamétralement opposé : cette sincérité
farouche, cette fermeture, ce refus des compro-
missions et des honneurs, et par ce qu'il perçoit
dans le corps frêle de cette jeune fille, dans les
traits si fins de ce visage où brillent l'intelligence et la ferveur de la jeunesse : la volonté
d'aller jusqu'au bout, jusqu'au fond de soi-
même. Il est alors évident que Diego ne peut
vivre sans Frida, et qu'elle ne peut détourner
son regard de celui qu'elle a choisi, sur lequel
elle a fondé beaucoup plus que du désir ou de
l'admiration, mais toute sa vie.

C'est pourquoi l'histoire de ce couple est
exemplaire. Les aléas de l'existence, les mesquineries, les désillusions ne peuvent pas inter-
rompre cette relation, non de dépendance,
mais d'échange perpétuel, pareille au sang qui
coule et à l'air qu'ils respirent. La relation
amoureuse de Diego et de Frida est semblable
au Mexique lui-même, à la terre, au rythme des
saisons, au contraste des climats et des cultures.
C'est une relation faite de souffrance, de
cruauté, mais aussi d'absolue nécessité. Frida est
le Mexique archaïque, la déesse terre descen-
due parmi les hommes, dans le rythme lent et
religieux de la danse, portant le masque des
ancêtres, cette Indienne géante qui donne son
lait comme un suc du ciel, et qui enlace l'enfant

dans ses bras puissants comme les cordillères. Elle est la voix silencieuse des femmes courbées sur les meules de lave, dans les marchés, des porteuses de terre — les *mariquitas* — qui errent dans les rues des quartiers riches et font aboyer les chiens des maisons seigneuriales. Elle est le regard esseulé et terrifié des enfants, le corps ensanglanté des parturientes, la silhouette des magiciennes aux cheveux blancs accroupies dans les cours des *viviendas* et psalmodiant les incantations et les malédictions conçues au fond de leur éternelle solitude. Elle est l'esprit créateur de l'Amérique indienne, qui ne doit rien au monde occidental, mais qui puise au fond d'elle-même, comme en les arrachant à sa propre chair, les morceaux d'une conscience très ancienne, chargée du sang des mythes et vibrant de l'onde infatigable de la mémoire.

C'est elle que reconnaît Diego, sans le savoir, quand il retrouve le Mexique après la guerre, et qu'il commence une vie nouvelle. C'est elle qu'il cherche déjà quand il peint la broyeuse de maïs penchée sur son *metate* en 1924, l'Indienne aux épis de Chapingo, ou les soldats sombres de Zapata qui maintiennent sous leur regard les oppresseurs et les tyrans, sur les fresques du ministère de l'Éducation. L'orateur public, le leader du Parti communiste mexicain, l'homme qui a osé défier Nelson Rockefeller à New York, celui qui a inventé l'art populaire moderne et a recouvert des milliers de mètres carrés de sa puissance créatrice, a terriblement besoin d'une femme frêle, solitaire, au corps brisé par les souffrances, dont le regard l'entraîne vers la profondeur mystérieuse de l'esprit humain comme dans un vertige.

Maintenant, sur le versant descendant de la vie, Diego Rivera mesure tout ce qu'il doit à la rigueur révolutionnaire de Frida. Elle n'a jamais changé, n'a jamais pactisé avec les forces de l'argent. C'est grâce à elle qu'il est resté, malgré les vicissitudes de la politique au jour le jour, fidèle à la Révolution et à l'esprit des muralistes de 1921, à la magie de ce temps où tout était à inventer : « Pour la première fois, au Mexique, écrit-il en 1945 dans la revue *Así*, les peintres véritablement révolutionnaires, en politique et en esthétique, eurent accès aux murs des édifices publics et privés; et pour la première fois dans l'histoire de la peinture du monde s'inscrivit sur ces murs l'épopée du peuple, non au moyen de héros mythologiques et politiques, mais grâce aux masses populaires en action[1]. »

Au lendemain de la guerre qui a de nouveau ravagé le monde, Diego retrouve l'esprit de révolte qui était le sien en 1918, quand il quittait l'Europe dévastée. Dans ce monde en ruine, le Mexique, affirme-t-il, doit « tourner le dos à l'Europe et chercher une nouvelle alliance avec

---

1. Diego Rivera, *Arte y Política, op. cit.*, p. 288.

l'Asie », avec l'Inde, avec les masses en mouvement de l'Extrême-Orient, et avec la Chine,
« merveilleuse et géante [1] ». Le vieil ogre débonnaire retrouve, au moment où le Mexique
accède à la vie moderne, les accents guerriers
de sa jeunesse, pour dénoncer l'hypocrisie de
l'art pour l'art et de l'abstraction, cette peinture
héritée de la bourgeoisie française du Second
Empire. Dans « La question de l'art au
Mexique » (*Indice*, mars 1952), il pourfend ses
vieux ennemis, les *artepuristas* survivants de
l'époque des *Contemporáneos*, Ortiz de Montellano, Gilberto Owen, Wolfgang Paalen — qu'il
feint d'orthographier Wolfranck Pahallen,
« peintre surréaliste à la fumée de cierge » —, et
Rufino Tamayo, qui ont vécu sous l'influence
des supputations gratuites du surréalisme et de
Breton, « dégénéré politique », et sont retour-
nés « au pis de la vache encore grasse de la
bourgeoisie ». Ce sont eux qui ont fait le lit du
fascisme, et qui ont permis l'éclosion de Hitler,
« robot nazi-fasciste créé par l'Occident pour
détruire l'Union soviétique et la Révolution bol-
chevique [2] ». Avec une véhémence digne du
Julio Jurenito d'Ilya Ehrenbourg, Diego part en
guerre contre la peinture et la critique contem-
poraines, il s'en prend à Justino Fernández,
« architecte au service de la Mitre Sacrée de

1. *Ibid.*, p. 328.
2. *Ibid.*

Mexico », Luís Cardoza y Aragón, « cette espèce
de spécialiste de la poésie, de la diplomatie et
de la critique petites-bourgeoises » — qui tous
deux, il est vrai, ont osé préférer son rival José
Clemente Orozco — passé de l'art authentique
aux trucages « anti-plastiques et cubistesques ».
Et dans son élan iconoclaste, Diego jette même
à terre l'idole des amateurs d'art nord-américain, Georgia O'Keefe, « qui peint des fleurs
agrandies en forme de sexes de femmes et des
paysages si abstraits qu'ils semblent faits de car-
ton et photographiés avec la pire des mala-
dresses[1] ». Pour lui, cet art conventionnel et
fabriqué pour les collectionneurs est devenu,
par leur faute, « l'édredon de soie garni de fin
duvet sous lequel ils tentent d'étouffer la voix
révolutionnaire du muralisme mexicain[2] ».

Mais il y a de l'amertume dans la vindicte du
vieux guérillero de l'art, amertume devant l'inévitable déclin de cette peinture qu'il a voulue
populaire et qui est devenue malgré lui œuvre
de musée, objet de spéculation des riches et des
puissants. L'ère de la Révolution est terminée.
Pour faire face à ses besoins d'argent — la
construction de cette pyramide chimérique —
l'*Anahuacalli* —, œuvre majeure de sa vie, dans
laquelle il voit un autel à la gloire de la culture
préhispanique et le symbole de la résistance à

1. *Ibid.*, p. 335.
2. *Ibid.*, p. 325.

l'oppression de la culture impérialiste de l'Europe et de l'Amérique ; mais aussi le paiement des opérations et des soins médicaux constants de la pauvre Frida — Rivera est obligé de peindre sans cesse des tableaux, des aquarelles, de participer à des livres d'art, voire d'accepter des chantiers d'un goût douteux, comme la décoration du bar Ciro's de l'hôtel Reforma — bien loin des *pulquerías* des années 1925 que Diego parcourait pour *Mexican Folkways*, et dont les noms résonnaient comme les poèmes de la jeunesse révolutionnaire, *La Copa del Olvido, La Revolución, Los Changos vaciladores*, aiguisés et chargés de l'ironie qui est la véritable arme du peuple.

L'un des derniers combats de Diego, il ne le livre pas dans les salles des palais du peuple, ni dans un musée, mais en 1947, dans la salle à manger de l'hôtel del Prado, avec une peinture qui est comme son autobiographie, jusqu'à la caricature : le *Rêve d'un après-midi dominical au parc de l'Alameda*, où toutes les figures de sa vie sont debout, comme pour un portrait fantomatique, depuis le graveur José Guadalupe Posada, en géant débonnaire donnant le bras à la mort *catrín*, la citadine facile aux atours frivoles de la Belle Époque, jusqu'à Frida elle-même, à côté de José Martí, vêtue de sa robe de Tehuana, portant en effigie le signe du yin et du yang et posant la main sur l'épaule de son fils unique,

Diego sous les traits d'un petit garçon d'une
douzaine d'années — l'âge où il entra pour la
première fois à l'Académie de San Carlos. Sur le
tableau figure, écrite en toutes lettres, la phrase
prononcée en 1838 par Ignacio Ramírez — surnommé le Nigromant par ses condisciples —
lors d'une réunion à l'Académie des lettres de
Letran : « Dieu n'existe pas. » La provocation ne
manque pas de faire son effet, et le tableau est
agressé par des étudiants catholiques qui le
lacèrent et grattent au canif l'inscription blas-
phématoire.

La campagne de presse qui s'ensuit n'est pas
pour déplaire à Diego, qui retrouve toute
l'ardeur de sa jeunesse pour fustiger les bigots
et le vieil ennemi du peuple, le clergé catholique. Dans le Mexique de l'après-guerre,
dominé par la politique de réconciliation de
don Miguel Alemán favorisant les alliances avec
la bourgeoisie et les grands propriétaires, la
peinture de l'hôtel del Prado — qui a valu le
refus de l'archevêque de Mexico de venir bénir
le nouvel établissement — est plus qu'une provocation, elle est un rappel à l'esprit de la
révolte, le seul idéal du Mexique pour Diego
Rivera : « L'art, écrit-il plus tard dans *Indice*,
socialement parlant, a un contenu intrinsèque-
ment progressiste, c'est-à-dire *subversif*, car il ne
saurait y avoir de progrès sans une subversion

organisée, c'est-à-dire une révolution[1]. » Devant les journalistes, il fait valoir que, si la phrase litigieuse a pu être prononcée publiquement en 1838 à l'Académie de Letran, et qu'elle ne peut figurer sur un tableau cent dix ans plus tard, c'est que la liberté acquise par Benito Juárez n'existe plus et qu'il faut recommencer, comme en 1857, « jusqu'à la victoire de Queretaro[2] ».

Comme il l'a toujours fait, Diego cherche l'appui des puissants, et particulièrement des États-Unis, et il le trouve paradoxalement en la personne du cardinal Dougherty, archevêque de Philadelphie, en visite à Mexico et qui se prononce en faveur de Rivera et du droit à la liberté d'expression. Le tableau restera cependant interdit au public, recouvert d'une bâche, jusqu'en 1956, quand le vieux peintre, usé par la maladie mais n'ayant rien perdu de son humour, devant la presse convoquée spécialement à cet effet, effacera lui-même la phrase scandaleuse et descendra de l'échafaudage en déclarant : « Je suis catholique », ajoutant même ce commentaire venimeux : « Et maintenant, vous pouvez téléphoner la nouvelle à Moscou! »

À la fin de sa vie, la révolution est redevenue pour Diego Rivera ce qu'elle a été dans sa jeunesse, quand l'ogre de Montparnasse, aux côtés

---

1. *La Cuestión del arte in México*, in Diego Rivera, *Arte y Política*, *op. cit.*, p. 322.
2. *Ibid.*, p. 446.

de Picasso et de Modigliani, provoquait la bourgeoisie bien-pensante de l'Europe, préfigurant
le tumulte et le renversement des valeurs qui
allaient bientôt précipiter le Mexique dans le
plus grand vertige de son histoire. Sa révolution
est solitaire, provocatrice, agressive, profondément individualiste. Elle emprunte avant tout le
chemin de l'art, de son art, impérieux, sensuel,
sans compromis, échappant à toute banalité,
inventant à chaque instant la logique de l'extraordinaire.

Au cœur de sa révolution, il y a Frida. Elle est
bien la *niña de mis ojos*, « la prunelle de mes
yeux », celle par qui il perçoit vraiment le
monde, celle qui est dans son secret, dans son
âme, qui l'habite comme son double, qui le
guide, l'inspire, le détermine. Frida Kahlo est
sans aucun doute l'une des personnalités les
plus fortes parmi les femmes de l'ère révolutionnaire au Mexique, et c'est grâce à elle que
Diego va jusqu'au bout de sa révolution, sans
s'arrêter en chemin comme l'ont fait Vasconcelos ou Tamayo, séduits par le pouvoir ou
effrayés par les risques. L'ardeur juvénile au
combat, c'est Frida qui la lui insuffle, cette
ardeur pareille à une fièvre qui l'anime et la
consume même lorsqu'elle est clouée au lit par
la souffrance, incarcérée dans ses corsets
d'acier, soumise aux soins les plus cruels —
élongation de la colonne vertébrale, ponctions,

opérations continuelles qui transforment son corps en un objet médical cousu de cicatrices — comme dans le cruel *Arbre d'espoir, tiens-toi droit* de 1946, où Frida se tient assise à côté de son double fantomatique allongé sur une civière, devant un désert fissuré qu'écorchent le soleil et la lune impitoyables.

Au fond, la chose extraordinaire tout au long de l'existence chaotique du couple Diego/Frida, c'est qu'il était difficile de réunir deux êtres plus dissemblables. Tous deux sont des créateurs, et tous deux sont révolutionnaires, mais leur création et leur révolution sont diamétralement opposées, et diamétralement opposées leurs idées sur l'amour, sur la recherche du bonheur, sur la vie elle-même. Comparée à la passion politique et aux intrigues du milieu de Diego Rivera — cette sorte de mouvement de balancier qui le fait osciller sans cesse entre le pouvoir et la foi révolutionnaire, entre les États-Unis et l'Union soviétique —, la vie de Frida est d'une lumineuse simplicité. Dès l'adolescence — au temps de la Preparatoria — elle est engagée politiquement, enthousiasmée par les grandes figures déjà mythiques de la Révolution russe, Kerenski, Lénine, Trotski, et par les héros populaires de la Révolution mexicaine : Francisco Madero, Alvaro Obregón, et surtout les *caudillos*, le bandit Villa et l'archange indien Emiliano Zapata, assassinés par les traîtres au service de l'impérialisme yankee alors qu'elle était encore une enfant. La personne qui a le plus compté dans la formation des idées de Frida Kahlo, la révolutionnaire italienne Tina Modotti, est aussi celle dont elle se rapproche le plus, armée de la même détermination, de la même sombre ardeur, poursuivant le but qu'elle s'est fixé sans faiblesse, sans jamais se détourner. Frida, dans sa jeunesse, aurait très bien pu faire sien l'aveu de Tina à Edward Weston dans une lettre écrite en 1925 : « Je mets trop d'art dans ma propre vie — je veux dire trop d'énergie — et par conséquent il ne me reste rien pour l'art, et par art, je veux dire la création, quelle qu'elle soit[1]. » L'énergie, pour Frida Kahlo, est aussi la force qui l'entraîne dans le mouvement révolutionnaire — même si cette force n'a pas le même objet que pour Tina Modotti. Pour elle, la quête de l'intégrité physique et mentale est semblable à la quête de l'intégrité des opprimés, à leur soif de vérité, à leur libération de l'aliénation. Au moment de la rupture de Diego Rivera avec le Parti communiste, Tina Modotti a un mot cruel et méprisant à propos du peintre ; elle dit de lui à Weston : « C'est un *passif.* » L'engagement politique de Frida est au contraire totalement actif, elle y consacre toute sa vie, et la peinture, comme par-

---

1. In Edward Weston, *Daybooks, op. cit.*, vol. 1, p. 40.

fois les mots, ne lui servent qu'à exprimer ce désir de liberté.

Même l'amour pour elle est une révolte. L'amour doit brûler, emporter, il est religion et rite, il est volonté de sacrifice, pour lui elle brise tout, son instinct maternel, les distractions et le luxe de sa jeunesse, et d'une certaine manière, jusqu'à son ambition de peintre et son orgueil de femme. Toute sa vie, Frida est restée fidèle à l'idéal des années 1927-28, le temps des manifestations et du comité *Manos fuera de Nicaragua* — le soutien au révolutionnaire César Augusto Sandino luttant contre la mainmise de la United Fruit et de l'impérialisme nord-américain sur son pays, et tombé, lui aussi, sous les balles des assassins. Fidèle à l'idéal de l'amour, tel que le symbolisait le couple de Tina Modotti et Julio Antonio Mella, cet amour parfait qui unissait les corps — Tina, si belle, avec ce visage de Méditerranéenne, ce corps sculptural photographié par Weston, et Mella, aux traits de *zambo*, métis de Noir et d'Indien, d'une beauté romantique, toujours vêtu de sa chemise de *ferrocarrilero* et coiffé d'un panama — et qui unissait aussi les esprits dans l'absolu révolutionnaire. Cet amour brisé tragiquement au soir du 10 janvier 1929 quand Mella tomba sous les balles des sbires du tyran Machado, et mourut dans les bras de Tina.

Alors, vingt ans plus tard, Frida Kahlo n'a pas changé. Elle garde la mémoire de tous ceux qu'elle a connus en ces temps exceptionnels, et de tout ce en quoi elle a cru, ce pour quoi ils combattaient. Il est vrai que sa peinture n'est pas « révolutionnaire » et qu'elle ne témoigne pas de ses engagements politiques, contrairement à l'œuvre grandiose des muralistes. Mais sa révolution est autre, son combat n'est pas celui de l'art engagé. Son combat est intérieur, il parle du quotidien, de la vie solitaire qu'elle mène, de la prison de la souffrance, des blessures de son amour-propre, de la difficulté d'être une femme dans la société mexicaine dominée par les hommes. Sa révolution, c'est aussi sa révolte, le regard d'amour et de crainte qu'elle pose sur ce qui l'entoure, l'obsession de la mort, la compassion qu'elle ressent pour tout ce qui est tendre et faible, le rêve d'un embrassement universel, cet univers angoissé et délicat qui tourne autour de la *Maison Bleue*, de son jardin, des animaux qui partagent sa vie. Sa révolution, c'est l'explosion de la souffrance dans son corps, les doses de plus en plus fortes de calmants (le Demerol) qu'elle doit prendre pour supporter la douleur, la bouffée de marijuana qu'elle aspire, anxieusement, pour se libérer du mal, pour voler un moment d'irréalité et d'oubli.

Sa révolution, c'est l'espoir continuel qu'elle garde de venir à bout de ses maux et de ses difficultés, cet *Arbre de l'espérance* qu'est devenue sa colonne vertébrale brisée, raccommodée à coups d'opérations et de greffes osseuses. Les tableaux qu'elle peint durant ces années expriment son changement d'attitude envers la vie. Les scènes morbides et sanglantes ont fait place à une sorte de sérénité désespérée sans équivalent dans l'histoire de la peinture. Derrière le masque toujours impassible, le vide et l'angoisse ont creusé le vertige, une interrogation renvoyée sans fin entre les murs réfléchissants des miroirs disposés autour d'elle. C'est ainsi que Lola Alvárez Bravo l'a saisie dans les extraordinaires clichés pris à Coyoacán en 1944 : Frida amoureuse de son reflet, disposant autour d'elle les miroirs où se prend au piège son image[1]. Ce n'est pas son image qu'elle aime, c'est cette réalité physique, la chaleur de la vie, la tendresse des sentiments qui maintenant peu à peu lui échappent, se retirent d'elle comme une eau en décrue, et la laissent dans la froideur.

Il y a ce dessin d'elle-même, portant au front une hirondelle dont les ailes se confondent avec ses sourcils noirs, souvenir du temps où Diego lui disait que ses sourcils lui faisaient penser aux ailes noires d'un merle en train de voler, la main de la destinée en boucle d'oreille, le collier végétal où se mêlent ses cheveux et, toujours, les larmes qui s'accrochent à ses joues. Il y

---

1. Voir Frida Kahlo, *Un Portrait photographique*, de Elena Poniatowska et Carla Stellweg, Éditions Arthaud, Paris, 1992.

a le portrait saisissant qu'elle fait d'elle-même en juillet 1947, le mois où elle accomplit sa quarantième année (fidèle à son mythe, elle écrit sur la dédicace : « Ici j'ai fait mon portrait, moi, Frida Kahlo, avec l'image de mon miroir. J'ai trente-sept ans. ») — les cheveux défaits tombant sur son épaule droite, le visage amaigri, creusé par la souffrance, avec ce regard qui questionne, qui fixe à travers tous les écrans et tous les trompe-l'œil, regard distant et insistant comme une lumière qui voyage à travers l'espace longtemps après la mort de l'astre. Frida Kahlo n'a peint aucun tableau révolutionnaire, et pourtant il n'y a peut-être pas eu, dans l'histoire de la peinture contemporaine, de tableau plus dérangeant, plus déroutant, plus bouleversant que cet autoportrait — pour trouver une équivalence, il faudrait remonter jusqu'à la source de l'art moderne, dans les autoportraits de Rembrandt conservés au Mauritshuis, à La Haye.

LES MORTS EN VACANCES

La *Maison Bleue* de Coyoacán s'est refermée sur Frida comme un piège dont seule la peinture peut encore, par moments, la libérer. Diego Rivera, à l'extérieur, continue d'être pris par le tumulte du monde — sa liaison tapageuse avec l'actrice Maria Félix, qui l'accompagne aux États-Unis, et qu'il ose même peindre en mère indienne, serrant contre elle son enfant. Il ne va plus guère à Coyoacán. Il vit partout, travaille dans son studio de San Angel. Après la période d'éclipse qu'il a connue à la fin du règne de Lázaro Cárdenas, Diego redevient l'homme à la mode, celui dont on parle le plus, qui défraie la chronique par ses prises de position, par ses conquêtes féminines, par sa formidable puissance de travail. Il mène simultanément plusieurs chantiers — au Palais National, à l'hôtel del Prado, et puis ce projet pratiquement irréalisable et qui, pour cela même l'enchante le plus, celui d'une fresque sur l'*Eau, origine de la vie*, qui

doit être submergée dans un réservoir de Cha-
pultepec. Diego est véritablement le soleil,
l'astre cruel qui suit sa course, féconde les
calices sexués des plantes, puis les brûle et les
flétrit — tel que le peint Frida en 1947 dans *Le
Soleil et la Vie*. La révolution des hommes,
comme la révolution des astres, ne peut pas être
celle des femmes, puisque la société a dévolu
aux uns le pouvoir de porter la mort, aux autres
la souffrance et l'amour de la vie.

L'année 1950-51 est terrible pour Frida
Kahlo. Un début de gangrène au pied droit
nécessite l'amputation des orteils. Une opération à la colonne vertébrale, au cours de
laquelle le docteur Juan Farill, de l'Hôpital
Anglais, a tenté une greffe osseuse, se solde par
une infection, et Frida, entre mars et
novembre 1950, doit subir six interventions.
Malgré la présence à ses côtés de Diego, ému
par sa détresse, elle est à bout de forces, mais
non à bout d'énergie. Dans sa chambre d'hôpital, clouée sur son lit et corsetée d'acier et de
plâtre, elle sait encore rire de sa propre douleur
et organiser autour d'elle un théâtre humoris-
tique et provocateur. Elle décore sa chambre et
jusqu'à ses affreux corsets, se fait photographier
couchée sur son lit d'hôpital, en train d'embrasser Diego, portant peints sur son corset l'étoile,
la faucille et le marteau du Parti communiste.
Diego retrouve alors pour elle les gestes de ten-

dresse de leurs premières années de mariage. Pour la distraire, il s'assoit à côté d'elle, lui chante des chansons, grimace, raconte des mensonges. Adelina Zendejas relate que, rendant visite à Frida à l'hôpital, elle vit Diego danser pour elle autour de son lit en rythmant sa danse avec un tambourin comme un montreur d'ours[1]. Dans son Journal, Frida résiste encore à son vertige de destruction :

« Je ne souffre pas. Seulement de la fatigue [...] et comme c'est naturel, très souvent je ressens du désespoir, un désespoir qu'aucun mot ne pourrait décrire. [...] J'ai beaucoup de volonté pour la peinture. Par-dessus tout la transformer, pour qu'elle serve à quelque chose, puisque, jusqu'à maintenant, je n'ai fait que peindre l'expression de mon honorable personne, absolument étrangère à tout ce qui peut dans la peinture être utile au Parti. Je dois lutter de toutes mes forces pour que ce qui reste de positif dans mon état de santé serve la Révolution. C'est l'unique raison que j'ai de continuer à vivre[2]. »

Frida entretient depuis toujours des relations privilégiées avec ses médecins, qui deviennent très vite ses confidents, voire ses confesseurs. Comme naguère au docteur Eloesser à San Francisco, elle écrit au docteur Farill des lettres

---

1. Martha Zamora, *El Pincel de la angustia, op. cit.,* p. 118.
2. In Raquel Tibol, *op. cit.,* p. 63.

commençant par le même caressant « *Doctor-cito* », pour vaincre son angoisse devant les opérations qu'il juge inévitables, et lorsque tout est terminé, elle le remercie en peignant son portrait, sur une toile accrochée au chevalet, à côté d'elle vêtue du *quechquemitl* blanc d'Oaxaca et de sa longue jupe noire, assise sur sa chaise d'infirme ; afin que la relation de l'art de la vie ne fasse aucun doute, elle représente, en guise de palette, son cœur aux artères apparentes, et dans sa main droite les pinceaux sont imprégnés de son sang.

Dans cet état d'extrême faiblesse, elle est attentive à tout, elle guette avec une angoisse décuplée le monde extérieur. Sa souffrance devient un nouveau langage, un moyen de perception exacerbé de tout ce qui l'entoure. Elle rejoint ceux qu'elle a toujours aimés, les Indiens humiliés, les femmes de Coyoacán, les enfants que Diego a peints pour elle, et dont le regard ne cesse d'interroger, comme celui du cerf blessé qu'elle a choisi pour emblème quelques années auparavant.

Dans la solitude de Coyoacán, si loin de Diego, si loin de ses amis qui mènent leur vie au centre brûlant de Mexico, l'attente est longue, interminable. Elle recommence par le commencement, peignant le tableau esquissé à l'hôpital et qui prolonge celui qu'elle a peint en 1936, au début de sa carrière : l'arbre généalogique de la famille Kahlo où figurent ses sœurs, son neveu Antonio et, au centre, le fœtus de l'enfant qu'elle n'a jamais pu mettre au monde.

Pour la première fois depuis 1943 elle peint aussi une suite de natures mortes, à la manière des tableaux naïfs de Hermenegildo Bustos, le peintre d'ex-voto du Guanajuato. Des paniers de fruits, aux couleurs violentes, aux chairs sanglantes, des fruits ouverts à la peau écartée, montrant le secret de leurs graines, la lumière interdite de leur intérieur. La peur, l'angoisse sont partout, jusque dans les choses les plus simples; une des natures mortes s'intitule : *La Novia que se espanta de ver la vida abierta* (« La fiancée effrayée devant le spectacle de la vie ouverte »). On y lit, écrit avec les racines, « *Naturaleza viva* », « *Luz* », « *Viva la Vida y el Doctor Juan Farill* ». Dans son Journal, elle écrit le poème de la vie éternelle dont elle rêve : « *Mirto Sexo Lave Suave Brota Licor Amor Gracia Viva* » (« Myrte sexe clé douce jaillit liqueur amour grâce vive »).

Diego Rivera, comme toujours, s'est lancé dans un nouveau combat, autour de la création d'une fresque mobile pour le Palais National. Trois ans après le *Rêve*, il réitère la provocation contre la bourgeoisie avec *Cauchemar de la guerre et rêve de paix*, destiné à l'exposition « Vingt siècles d'art mexicain », qui doit avoir lieu dans les capitales européennes (Paris, Londres, Stock-

holm), exposition organisée par le compositeur
Carlos Chavez, directeur de l'Institut des beaux-
arts et avec qui il a travaillé naguère à la représentation du ballet *H.P.* à New York. Dans son
tableau, où Frida figure pour la dernière fois au
côté de Cristina, assise sur une chaise d'infirme,
Diego fait figurer les grands héros révolutionnaires, Staline et Mao Tsé-toung, triomphant
des ennemis du genre humain présentés sous
les traits des impérialistes : John Bull, l'Oncle
Sam et la belle Marianne.

Le scandale éclate quand le ministère de la
Culture refuse le tableau de Rivera pour des raisons de convenance politique. Diego accuse le
président Miguel Alemán de briguer le prix
Nobel de la Paix et d'avoir agi avec excès de
prudence, afin de ne pas incommoder le jury en
cautionnant un tableau à la gloire de la Révolution[1].

Frida a quitté sa chambre pour poser devant
Diego, assise sur sa chaise roulante. Mais, dans
le fond, les provocations de Diego ne la
concernent plus vraiment. Dans l'extrême solitude de la douleur, sa foi en la révolution s'est
transformée en une sorte de rêve mystique,
dans lequel elle se représente elle-même, dans
un de ses derniers autoportraits, floue, presque

---

1. Le tableau sera plus tard vendu (pour trois mille dollars) au
gouvernement de la Chine populaire, et disparaîtra en 1968 dans
la tourmente de la Révolution culturelle.

fantomatique, à côté du portrait de Staline pareil à un paysan mexicain, image stéréotypée du père. Diego figure encore sur le même tableau, mais sous la forme d'un soleil incandescent. Dans l'une de ses dernières œuvres, peinte en 1954, où la vision est envahie par le trouble de la drogue, Frida figure un miracle à la manière des ex-voto qui ornent sa maison : *Le marxisme guérira les malades,* dans lequel, soutenue par les mains de l'idéologie, et sous le regard de Marx, Frida se tient debout, son visage éclairé d'une joie intérieure, rejetant au loin ses béquilles.

Mais le miracle n'a pas lieu — seulement dans l'imaginaire de Frida. Au début de l'année 1953, elle est dans un tel état d'épuisement que Diego décide d'accélérer les préparatifs de la grande rétrospective prévue par l'Institut des beaux-arts et d'offrir à Frida une fête — ce sera sa dernière fête. La photographe Lola Alvárez Bravo, l'amie de toujours, propose que la réunion ait lieu chez elle, dans sa galerie d'art contemporain de la rue Amberes, dans la « zone rose » de Mexico. La perspective de cette exposition — dans laquelle va être réunie la plus grande partie de son œuvre, depuis les premiers portraits de sa sœur Cristina, jusqu'aux tableaux les plus récents, *Le Cerf blessé, Diego et moi* et *Embrassement d'amour* — est le miracle attendu par tous, car Frida reprend courage et participe

aux préparatifs de la fête. Elle rédige elle-même
les invitations, sous la forme d'une poésie inspirée des *corridos* populaires qu'elle aime,
mélange de sarcasme et de tendresse :

> *Con amistad y cariño*
> *nacidos del corazón*
> *tengo el gusto de invitarte*
> *a mi humilde exposición.*
>
> *A las ocho de la noche*
> *— pues reloj tienes al cabo*
> *te espero en la galería*
> *d'esta Lola Alvárez Bravo.*
>
> *Se encuentra en Amberes doce*
> *y con puertas a la calle*
> *de suerte que no te pierdas*
> *porque se acaba el detalle.*
>
> *Solo quiero que me digas*
> *tu opinión buena y sincera.*
> *Eres leido y escribido*
> *tu saber es de primera.*
>
> *Estos cuadros de pintura*
> *pinté con mis propias manos*
> *esperan en las paredes*
> *que gusten a mis hermanos.*

Bueno, mi cuate querido,
con amistad verdadera
te lo agradece en el alma
« Frida Kahlo de Rivera[1]*. »*

Une photo de Lola Alvárez Bravo, prise peu
de temps avant l'exposition, montre Frida Kahlo
dans sa chambre de Coyoacán, préparée pour la
fête, vêtue de la blouse brodée d'Oaxaca, coiffée de ses tresses et portant ses bijoux, mais son

[1]. Avec mon amour et amitié
Venus du fond de mon cœur
J'ai le plaisir de t'inviter
à ma modeste exposition.

À huit heures du soir
— Car tu as une montre en poche —
Je t'attends dans la galerie
De cette Lola Alvárez Bravo.

Elle se trouve au 12 d'Amberes
Et ses portes s'ouvrent sur la rue
De sorte que tu ne peux pas te perdre
Et je ne t'expliquerai pas davantage.

Je veux seulement connaître
Ton opinion juste et sincère
Tu as beaucoup lu et écrit
Ton savoir est majuscule.

Ces tableaux de peinture,
Je les ai peints de ma main
Ils attendent sur les murs
pour plaire à tous mes frères.

Voilà, mon vieux camarade,
Avec une amitié véritable
De toute son âme, elle te remercie,
« Frida Kahlo de Rivera ».

(Cité in Martha Zamora, *op. cit.*, p. 215.)

visage émacié exprime l'angoisse, la lassitude. Le 13 avril 1953, Frida est si malade que Lola songe un instant à annuler l'exposition. Mais Diego a l'idée étonnante de transporter le grand lit à baldaquin de Frida jusqu'au centre de Mexico. Le lit est monté dans la galerie, Frida arrive en ambulance et on la dépose délicatement, vêtue de sa plus belle robe zapotèque, maquillée et portant ses boucles d'oreilles d'or et de turquoises. Entre sept heures trente et onze heures du soir, raconte Lola Alvárez Bravo[1], un public ému et enthousiaste se presse dans la galerie, et exprime son admiration et son affection pour la femme brisée qui sourit héroïquement dans le lit où elle a peint la plus grande partie de ses autoportraits. Tous les amis de Diego et de Frida sont venus pour la fête : son amie d'enfance Isabel Campos, Alejandro Gómez Arias, Carlos Pellicer, Carmen Farell, les *Fridos* de la Esmeralda, Guillermo Monroy, Arturo García Bustos, Fanny Rabel, Teresa Proenza, la secrétaire de Diego, Aurora Reyes, et les médecins favoris, le docteur Roberto Garza et le docteur Velasco. Le vieux « docteur » Atl, l'ancêtre du muralisme mexicain, vint lui aussi un bref instant, appuyé sur ses béquilles (il était amputé d'une jambe) et serra les mains de Frida. La chanteuse Concha Michel, l'une

---

1. *Souvenirs*, in *The Frida Kahlo photographs*, catalogue de l'exposition de 1991, Dallas.

des premières à l'avoir connue aux réunions du Parti communiste au temps de la Preparatoria, chanta ses *corridos* préférés, *La Adelita*, *Pobre venadito* (« Pauvre petit cerf »), et le romancier Andrés Herrestrosa interpréta pour elle les chansons de Tehuantepec, la *Sandunga* et la *Llorona*.

La fête fut un succès total, la démonstration de l'affection des gens de Mexico pour Frida, et la preuve d'amour de Diego : « Elle arriva, raconte-t-il, dans une ambulance, comme une héroïne, au milieu de ses admirateurs et de ses amis », et il ajoute avec vérité : « Frida resta assise dans la salle, apaisée et heureuse, contente de voir le grand nombre de gens venus l'honorer avec tant d'enthousiasme. Elle ne dit pratiquement rien, mais j'ai pensé plus tard qu'elle avait certainement réalisé qu'elle faisait là ses adieux à la vie [1]. »

Les lendemains de la fête furent en effet terribles. Quelques mois plus tard, sa jambe droite atteinte par la gangrène, Frida Kahlo fut transportée à l'hôpital, où le docteur Velasco et le docteur Farill lui annoncèrent qu'elle devait être amputée. Elle fit face à la situation avec le courage habituel, exorcisant son angoisse au moyen d'un dessin sur son Journal, représentant sa jambe droite sectionnée, avec ce seul commentaire :

---

1. Diego Rivera, *My Art, my Life*, *op. cit.*, p. 284.

« Des pieds, pourquoi est-ce que j'en voudrais si j'ai des ailes pour voler? »

Désormais la peinture lui est de plus en plus difficile. L'épuisement nerveux, la dépression due à l'usage des stupéfiants ne lui permettent plus de se battre avec les armes des pinceaux et des couleurs. Seuls les crayons et la plume, sur les pages du Journal, lancent des mots épars :

Danza al sol,

(chiens et hommes à têtes de chien).

Alas rotas

¿Te vas? No.

(l'ange brisé)

et la représentation du corps humain sacrifié, avec cette devise :

Yo soy la desintegración.

La mort l'obsède, celle qui rôde autour d'elle, qui enlève la vie de ses amis, de Chabela Villaseñor : « Chabela. Jusqu'à ce que moi aussi je parte, jusqu'à ce que je te retrouve sur le même chemin. Bonne route, Chabela. Rouge, rouge, rouge. Vie. Mort. Cerf. Cerf. » (écrit dans son Journal, durant l'hiver 1953). C'est durant cet hiver qu'elle fait une tentative de suicide, qu'elle promet dans son Journal de ne pas recommencer à cause de la détresse de Diego.

« Tu veux te tuer, tu veux te tuer
avec le couteau morbide qu'ils surveillent.
Oui, c'était bien de ma faute

J'admets que c'était ma grande faute
Très grande comme la douleur. »

Après l'opération, elle confie à *Bambí* : « J'ai
été amputée de la jambe, et jamais je n'avais
souffert autant. Il me reste un choc nerveux, un
déséquilibre qui change tout, jusqu'à la circulation du sang. Il y a sept mois que j'ai été opérée,
et tu vois, je suis encore là, j'aime Diego plus
que jamais, et j'espère lui servir encore à quelque chose, et continuer à peindre avec toute ma
joie, et puisse-t-il ne jamais rien arriver à Diego,
parce que si Diego venait à mourir, je partirais
avec lui, coûte que coûte. On nous enterrera
tous les deux. Qu'on ne compte pas sur moi
pour vivre après Diego. Vivre sans Diego, je ne
le pourrai pas. Pour moi, il est mon fils, il est ma
mère, mon père, mon époux, il est mon tout[1]. »
La destinée ne voulait pas, en effet, que Frida
survécût à Diego. L'amputation entraîna la
perte progressive de cette énergie qui avait
maintenu Frida en vie, malgré tant de douleur
et de désespoir. Ce que Diego Rivera appelle
« la ténèbre de la douleur », « le fond tendre où
naissent la lumière merveilleuse de sa force biologique, sa sensibilité si fine, son intelligence
resplendissante et son courage invincible pour
lutter pour vivre et pour montrer à ses camarades humains comment faire face aux forces

. In Martha Zamora, *op. cit.*, p. 134.

contraires et les vaincre afin d'atteindre une joie supérieure, contre quoi rien ne pourra résister dans le monde du futur[1] ».

Le retour de la saison des pluies, en juin 1954, marque une amélioration trompeuse dans l'état de santé de Frida. Elle semble avoir repris le dessus, et tendre vers un nouvel avenir dans la peinture, à l'unisson du combat de Diego pour l'avènement du communisme universel. Dans son Journal, à la date du 4 novembre 1953, elle écrit sa conviction presque mystique : « Je ne suis rien qu'une cellule du complexe mécanisme révolutionnaire des peuples, qui travaille pour la paix, née au sein des nouveaux peuples russe — soviétique — chinois — tchécoslovaque — polonais, à qui je suis unie par le sang, ainsi qu'aux Indiens du Mexique. Dans cette multitude d'hommes asiatiques, il y aura toujours l'image de mon visage, celle des Mexicains, de peau sombre et de traits harmonieux, et leur élégance sans faille. Alors les Noirs aussi seront libres, eux qui sont si beaux et si vaillants[2]... » Durant les séjours qu'elle fait à Coyoacán, elle peint ses seuls tableaux « révolutionnaires », où Marx et Staline figurent comme des dieux tutélaires. Le 2 juillet, malgré les recommandations du doc-

---

1. In Martha Zamora, *op. cit.*, p. 155.
2. In Carlos Monsivais, *Frida Kahlo, una vida, une obra*, Era, Mexico, 1992.

teur Farill, Frida sort de chez elle pour accompagner Diego et le peintre Juan O'Gorman à un meeting contre l'intervention américaine au Guatemala, en soutien au président Jacobo Arbenz et aux communistes guatémaltèques. Le président Arbenz, après avoir nationalisé les plantations de la United Fruit, a été chassé du Guatemala par Carlos Castillo Armas, soutenu par la CIA. La veille de la manifestation, Frida a rencontré Adelina Zendejas, qui doit partir pour le Guatemala, et elle lui a même demandé de lui ramener un enfant indien à adopter[1]. Le froid de l'après-midi pluvieux sur le Zocalo lui est fatal. Une pneumonie mal guérie reparaît et, le jour suivant, Frida est mourante. Malgré la fièvre, elle est d'une lucidité extrême. Sur les pages de son Journal, elle écrit sa certitude de mourir bientôt, emportée dans cet ultime tourbillon, ce bal funèbre qui enivrait le dessinateur Posada, *MUERTOS EN RELAJO*, les morts en vacances. Elle est seule dans la maison de Coyoacán, entourée seulement de ses servantes. Dans le jardin, ses chiens inquiets s'abritent de la pluie devant la porte fermée.

Diego Rivera a rapporté plus tard à Gladys March les derniers instants qu'il a passés avec Frida.

« La nuit précédente, elle m'avait donné la bague qu'elle avait achetée pour notre vingt-

---

1. In Martha Zamora, *op. cit.*, p. 155.

cinquième anniversaire [de mariage], qui devait avoir lieu dans dix-sept jours. Je lui avais demandé pourquoi elle m'en faisait cadeau si tôt, et elle m'avait répondu : "Parce que je sens que je vais te quitter dans peu de temps[1]." »

Sur la dernière page de son Journal, Frida marque, à côté du dessin qui représente l'ange noir de la mort, les mots les plus terribles et les plus durs de sa vie, les mots qui expriment véritablement son caractère sans faille :

« *Espero alegre la salida — y espero nunca volver.* » (« J'espère que la sortie sera heureuse — et j'espère ne jamais revenir. »)

Frida mourut le 13 juillet, exactement sept jours après avoir accompli quarante-sept ans.

Le lendemain, sous une pluie battante, Diego accompagna Frida couchée dans le cercueil ouvert, vêtue de sa belle chemise blanche de Yalalag, jusqu'au palais des Beaux-Arts où il voulait que lui soit rendu un dernier hommage. Puis le cercueil fut recouvert du drapeau rouge portant l'étoile et l'emblème de la faucille et du marteau, et conduit jusqu'au four crématoire du cimetière civil de Dolores.

---

1. Diego Rivera, *My Art, My Life, op. cit.*, p. 285.

ÉPILOGUE

Frida est couchée sous le miroir qui lui renvoie son image figée, son visage fermé dans la paix de la mort, son corps fragile paré comme pour une dernière fête, jupe noire et longue chemise blanche de Yalalag — telle sur la dernière photo prise par Lola Alvárez Bravo dans l'après-midi du mardi 13 juillet 1954, où l'on voit Frida étendue sur son lit, entourée de ses objets familiers, le bouquet de roses, les livres de guingois sur l'étagère, les poupées, les photos, avec cette mouche insolente posée sur son bras, comme si tout cela n'était qu'un songe, et qu'elle allât reprendre le souffle, se réveiller, recommencer à vivre. Alors la *Maison Bleue* entre doucement dans la légende. Dehors, les chiens nus attendent devant la porte fermée, tandis que la pluie fine fait trembler les flaques dans le jardin silencieux.

Les derniers temps, Frida ne sortait plus guère de cette maison, de ce jardin. Elle en avait fait une réplique du monde, à la fois imaginaire et enracinée dans la réalité par les liens de la douleur. Pour elle, la *Maison Bleue* était comme le temple de l'amour pour Diego, qui devait durer au-delà des vicissitudes de la vie, au-delà de la mort.

Quand Frida est partie, Diego n'est plus retourné à Coyoacán. Il a voulu que la *Maison Bleue* devienne non un musée — l'idée aurait été assez horrible — mais un sanctuaire, une maison ouverte où chacun pourrait recevoir un peu de cette beauté qui émanait de Frida, qui avait imprégné les murs, les objets familiers, les plantes du jardin.

Tout est immobile ici, arrêté comme dans l'attente du réveil de la *niña*.

Le lit monumental, effrayant, un carcan pour son corps brisé, et la tendre devise brodée sur l'oreiller :

« *Dos corazones felices*
(Deux cœurs heureux) ».

Dans la cuisine recouverte de faïences jaune et bleu, la grande table de bois brut, les chaises peintes de Tenancingo, et, au-dessus de l'âtre — jadis le cœur vivant de la maison, où les femmes s'affairaient dans l'odeur âcre du piment rôti et le bruit des mains façonnant les *tortillas*, au temps des fêtes — les noms de Diego et

de Frida écrits sur le mur en cailloux multicolores.

Dans la salle à manger, les objets d'art préhispanique, masques aztèques, pierres polies mix-
tèques, amulettes phalliques, statuettes du Nayarit en forme d'oiseau ou de femme aux hanches
larges et, toujours, l'effigie du crapaud — le
saporana, le surnom que Frida avait donné à
Diego, son *nahual*, son image animale.

Dans la maison, tout est silencieux, en sus-
pens. Quand, après la mort de Frida, Dolores
Olmedo décida de faire don de la collection de
ses tableaux qu'elle avait achetée à la famille
Morillo Safa, afin qu'elle demeurât dans la *Maison Bleue*, Diego en fut ému aux larmes et, pour
la remercier, écrivit en dédicace sur une photo :
« En souvenir de la plus grande émotion de ma
vie [1]. » Les peintures de Diego et de Frida sont
mêlées aux objets d'art indiens, aux ex-voto, aux
masques et aux *Judas* du folklore mexicain.

Il y a là le portrait d'Angelica Montserrat,
celui de Carmen Mondragón — Nahui Olín,
dont Frida s'était moquée au temps de l'amphithéâtre de l'École préparatoire — et cette *Jeune
Fille* peinte en 1929, pour plaire à Rivera, avec sa
grâce naïve et la crainte qu'on devine dans son
regard d'Indienne. Les dessins à la plume que
Frida a tracés sur son lit d'hôpital à Detroit,
après avoir perdu son enfant. Le portrait de la

---

1. Dolores Olmedo, *Frida revient à Paris*, Paris, février 1992.

famille Kahlo, et les derniers tableaux, tremblés, déjà voilés par la mort qui approche — « il commence à faire nuit dans ma vie », disait Frida[1] —, la libération de l'infirme par la force sacrée du communisme, ou le *Viva la vida* de 1954, qui montre ces pastèques tranchées, sanglantes et douces comme la vie elle-même.

Au-dehors, dans le jardin, on entend le roucoulement des tourterelles, cette chanson qu'elle écoutait sans se lasser. Entre les arbres, on distingue la pyramide de terre battue que le maçon de Diego avait bâtie pour elle, pour que sur chaque marche puissent prendre place les anciens dieux de pierre. Toutes les plantes qu'elle a aimées sont encore là, les yuccas aux lames aiguisées, les palmes, les filaos, les *ahuehuetes*, et les arums éblouissants, ces *alcatraces* que Diego aimait peindre, telle une offrande voluptueuse dans les bras sombres des Indiennes de Xochimilco. Au milieu du jardin, juchée sur le tronc coupé d'un laurier d'Inde, là où Frida l'avait fait mettre, il y a toujours la vieille statue de pierre en forme de hibou, comme un veilleur aux yeux troubles.

On entend les mots d'adieu de Carlos Pellicer, sa lettre pour l'éternité : « Une semaine avant que tu ne partes, tu t'en souviens ? J'étais

---

1. À son ami, le romancier Andrés Herrestrosa, avant son amputation. Frida confia que, désormais, sa devise ne serait plus : « Arbre d'espoir, tiens-toi droit », mais : *Esta anocheciendo en mi vida.* Hayden Herrera, *op. cit.*, p. 416.

avec toi, assis sur une chaise, tout près de toi, te racontant des choses, te lisant ces sonnets que j'avais écrits pour toi et que tu aimais, et moi aussi je les aime parce que tu les aimais. L'infirmière t'a fait ta piqûre. C'était dix heures je crois. Tu commençais à t'endormir, et tu m'as fait signe d'approcher. Je t'ai embrassée et j'ai pris ta main droite dans les miennes. Tu t'en souviens ? Ensuite j'ai éteint la lumière. Tu t'es endormie et je suis resté un moment pour veiller sur ton sommeil. Au-dehors, le ciel balayé, inondé, m'a accueilli mystérieusement comme il se doit. Tu m'as paru à bout de forces. Je t'avouerai que j'ai pleuré dans la rue, en partant à la recherche de l'autobus pour rentrer chez moi. Maintenant que tu as enfin trouvé le salut pour toujours, je voudrais te dire, plutôt te répéter, te répéter... Enfin, tu sais bien... Toi, comme un jardin piétiné par une nuit sans ciel. Toi, comme une fenêtre fouettée par la tempête, toi comme un mouchoir traîné dans le sang ; toi, comme un papillon plein de larmes, comme un jour écrasé et rompu ; comme une larme sur une mer de larmes ; araucaria chantant, victorieux, rayon de lumière sur le chemin de tout le monde [1]... »

Les derniers moments de Diego auprès de Frida sont à la fois terribles et étranges, comme

---

1. Cité par Carlos Monsivais, *Frida Kahlo, una vida, una obra, op. cit.*, 11.

tout ce qui touche à la mort au Mexique. Dans le décor orgueilleux du palais des Beaux-Arts la musique des *corridos* éclate, tandis que la foule se fige autour de Diego Rivera et de Lázaro Cárdenas. Le vieux peintre a le visage bouffi par la douleur, indifférent à tout ce qui l'entoure. Puis la foule accompagne le cercueil le long de l'avenue Juárez, dans la direction du cimetière civil de Dolores. Devant la porte du four crématoire, chacun s'empresse pour voir une dernière fois le visage de la *niña* — Siqueiros rapporte que, au moment de l'embrasement, les flammes entourèrent le visage de Frida en dessinant de grands tournesols comme si elle avait voulu peindre son dernier portrait.

Les cendres sont enfermées dans un sac puis, selon l'ancien rituel des Indiens de l'Ouest mexicain, exposées dans la chambre de Frida, surmontées de son masque mortuaire, et ceintes d'un grand *rebozo*. Quelques années plus tard, Diego les fera enfermer dans une urne funéraire d'Oaxaca, ayant la forme de la déesse de la fertilité.

Diego, malgré sa tristesse — tous les témoins s'accordent pour dire que la disparition de Frida fut pour lui le commencement de la vieillesse —, ne reste pas longtemps seul. Le 29 juin 1955 — moins d'un an après le deuil — il épouse discrètement la jeune femme qui depuis des années a été son aide et son agent commercial, Emma Hurtado. María del Pilar, la sœur de Rivera, raconte dans ses Mémoires la scène pathétique, mais non pas invraisemblable, au cours de laquelle Frida, sentant sa fin proche, aurait convoqué Emma pour lui faire promettre solennellement d'épouser Diego après sa mort et de bien veiller sur lui[1].

Diego continue de peindre, lance des projets de fresques pour le Palais National (*Histoire socio-économique du Mexique*), pour l'École de chimie de la Cité universitaire, pour le stade universitaire. Il trace les plans de cette *Cité des arts* à laquelle il rêve depuis sa jeunesse, et qu'il veut faire construire autour de sa pyramide-labyrinthe de l'Anahuacalli.

La maladie qui le ronge (un cancer du pénis) ne vient pas à bout de son énergie créatrice. À partir de 1956, il multiplie les interventions publiques, les débats politiques. Pour le Parti communiste, il organise des conférences didactiques où il affirme l'idéal qui n'a cessé d'être le sien : « L'art en vérité est pareil au sang de l'organisme social humain. »

Il désire plus que tout ce retour au sein du Parti, comme pour mieux être réuni à Frida qui a su tout sacrifier pour être sa femme. Diego a beaucoup à se faire pardonner, lui qui a été le protégé de Morrow et l'hôte de Trotski. Mais

---

1. María del Pilar Rivera Barcientos, *Mi hermano Diego*, Guanajuato, 1986, p. 214.

l'Union soviétique de Molotov, Malenkov et Boulganine n'est plus celle de Joseph Staline.

Fin 1955, le peintre accompagné de sa nouvelle femme se rend à Moscou pour y être soigné. Au moment de partir, c'est à Frida qu'il pense encore. Sur son portrait de mémoire, il ajoute une dédicace à la manière de celle qu'il aime : « Pour la prunelle de mes yeux, Fridita, toujours mienne, le 13 juillet 1955. Diego. Il y a un an aujourd'hui. »

Diego Rivera revient de Moscou, ses cartons pleins de dessins, de croquis, de projets de tableaux — dont le portrait du poète Maïakovski, qu'il a connu au temps de sa jeunesse.

Le 13 décembre 1956, le Mexique lui offre une grande fête pour ses soixante-dix ans, à Mexico dans l'Anahuacalli, et à Guanajuato dans la rue Pocitos où il est né : festin, bal public et « château » de feu d'artifice.

Malgré sa santé déclinante, le peintre voyage à travers le Mexique, peint des paysages, des couchers de soleil (les cinquante-deux couchers de soleil d'Acapulco exposés dans la Fondation Dolores Olmedo). Il demeure la voix des peuples opprimés, le révolutionnaire intransigeant et provocateur. Il dénonce l'intervention franco-anglo-israélienne à Suez, la répression française en Algérie, l'ingérence américaine dans la révolution cubaine. Mais son désir de rentrer au sein du Parti l'aveugle lorsqu'il quali-

fie publiquement la révolte hongroise de
« complot impérialiste ».

En lui, Frida est toujours aussi vivante, avec sa
brillance, son amour de la vie, sa tendresse pour
les Indiens humiliés, sa passion révolutionnaire.
C'est elle qui donne à Diego, malgré la maladie
et la vieillesse, cette ardeur juvénile qui le dresse
contre l'opportunisme des temps modernes. Par
une étrange coïncidence, ses ultimes tableaux
sont ceux-là mêmes que Frida a peints avant de
mourir, les pastèques à la chair couleur de sang,
offertes comme un dernier sacrifice.

Le 25 juin 1957, c'est uni à l'esprit de Frida
qu'il fait ses adieux à la vie. Répondant à l'appel
du peintre Miguel Pantoja, il adresse à tous les
artistes et à tous les hommes de culture du
monde une supplique pour la paix, afin d'arrêter la prolifération et les essais des armements
nucléaires, cette menace que les superpuis-
sances de l'Est comme de l'Ouest font peser sur
les nations plus faibles, qui, dit-il, « ont le même
droit de vivre que les autres ». Dans son appel,
c'est la voix de Frida qui vibre et s'indigne, afin
de tenter de préserver la fragile beauté de la
vie :

« Ainsi, le plus haut que je peux, j'élève ma
voix insignifiante pour en appeler à tous ceux
qui vivent pour l'amour et pour la sensibilité
humaine, qui œuvrent pour la beauté — cet
indispensable aliment de la vie supérieure. Pour

crier, exiger, faire en sorte que tous les hommes
crient et exigent, et obtiennent l'arrêt immédiat
des essais de bombes atomiques, au moins pendant les trois prochaines années.

« De cette façon, nous donnerons aux
hommes le temps de recouvrer la raison, et de
parvenir, en accord avec le monde entier, à une
interdiction totale de la fabrication et de l'utili-
sation des engins thermonucléaires de destruction collective de l'humanité[1]. »

Trois ans et quatre mois après Frida, le
24 novembre 1957 — alors que sa ville natale de
Guanajuato s'apprête à fêter son anniversaire
—, Diego meurt d'une attaque cérébrale dans
son atelier de San Angel. Malgré le désir qu'il
avait exprimé d'être incinéré, afin que ses
cendres fussent mêlées pour toujours à celles de
la femme qu'il avait aimée plus que tout au
monde, c'est à la Rotonde des Hommes
illustres, au cimetière civil de Dolores, qu'il est
inhumé solennellement le 25 novembre.

.. *Mexico en el arte,* Instituto Nacional de Bellas Artes, Mexico,
1986, p. 39.

Prologue   13

Rencontre avec l'ogre   25
Un sauvage à Paris   43
Frida : « un vrai démon »   59
L'amour au temps de la Révolution   81
La vie à deux : être la femme d'un génie   101
La Ville du Monde   121
Portrait de l'Amérique en révolution   135
Une bataille à New York   169
Souvenir d'une blessure ouverte   191
Révolution en amour   209
L'éternel enfant   231
La fête indienne   251
La Révolution, jusqu'au bout   265
Les morts en vacances   283

Épilogue   299

DU MÊME AUTEUR

Aux Éditions Gallimard

LE PROCÈS-VERBAL. (Folio n° 353)

LA FIÈVRE. (L'Imaginaire n° 253)

LE DÉLUGE. (L'Imaginaire n° 309)

L'EXTASE MATÉRIELLE. (Folio Essais n° 212)

TERRA AMATA. (L'Imaginaire n° 391)

LE LIVRE DES FUITES. (L'Imaginaire n° 225)

LA GUERRE. (L'Imaginaire n° 271)

LES GÉANTS. (L'Imaginaire n° 362)

VOYAGES DE L'AUTRE CÔTÉ. (L'Imaginaire n° 326)

LES PROPHÉTIES DU CHILAM BALAM.

MONDO ET AUTRES HISTOIRES. (Folio n° 1365 et Folio Plus)

L'INCONNU SUR LA TERRE. (L'Imaginaire n° 394)

DÉSERT. (Folio n° 1670)

TROIS VILLES SAINTES.

LA RONDE ET AUTRES FAITS DIVERS. (Folio n° 2148)

RELATION DE MICHOACAN.

LE CHERCHEUR D'OR. (Folio n° 2000)

VOYAGE À RODRIGUES, *journal.* (Folio n° 2949)

LE RÊVE MEXICAIN OU LA PENSÉE INTERROMPUE. (Folio Essais n° 178)

PRINTEMPS ET AUTRES SAISONS, *nouvelles.*

ONITSHA. (Folio n° 2472)

ÉTOILE ERRANTE. (Folio n° 2592)

PAWANA.

LA QUARANTAINE. (Folio n° 2974)

POISSON D'OR. (Folio n° 3192)

HASARD *suivi de* ANGOLI MALA.

GENS DES NUAGES. (Folio n° 3284)

Dans la collection Folio Junior

LULLABY. *Illustrations de Georges Lemoine* (n° 140).

CELUI QUI N'AVAIT JAMAIS VU LA MER *suivi de* LA MONTAGNE DU DIEU VIVANT. *Illustrations de Georges Lemoine* (n° 232).

VILLA AURORE *suivi de* ORLAMONDE. *Illustrations de Georges Lemoine* (n° 302).

LA GRANDE VIE *suivi de* PEUPLE DU CIEL. *Illustrations de Georges Lemoine* (n° 554).

Dans la collection Enfantimages

VOYAGE AU PAYS DES ARBRES. *Illustrations d'Henri Galeron* (repris en Folio Cadet, n° 49 et Folio Cadet Rouge, n° 187).

Dans la collection Albums Jeunesse

BALAABILOU. *Illustrations de Georges Lemoine.*

PEUPLE DU CIEL. *Illustrations de Georges Lemoine.*

Aux Éditions Stock

DIEGO ET FRIDA (repris en Folio/Gallimard, n° 2746).

GENS DES NUAGES, *en collaboration avec Jemia Le Clézio. Photographies de Bruno Barbey.*

Aux Éditions Le Promeneur / Gallimard

LA FÊTE CHANTÉE.

Aux Éditions Skira

HAÏ.

Aux Éditions Arléa

AILLEURS. *Entretiens avec Jean-Louis Ezine sur France-Culture.*

COLLECTION FOLIO

Dernières parutions

3383. Jacques Prévert — *Imaginaires.*
3384. Pierre Péju — *Naissances.*
3385. André Velter — *Zingaro suite équestre.*
3386. Hector Bianciotti — *Ce que la nuit raconte au jour.*
3387. Chrystine Brouillet — *Les neuf vies d'Edward.*
3388. Louis Calaferte — *Requiem des innocents.*
3389. Jonathan Coe — *La Maison du sommeil.*
3390. Camille Laurens — *Les travaux d'Hercule.*
3391. Naguib Mahfouz — *Akhénaton le renégat.*
3392. Cees Nooteboom — *L'histoire suivante.*
3393. Arto Paasilinna — *La cavale du géomètre.*
3394. Jean-Christophe Rufin — *Sauver Ispahan.*
3395. Marie de France — *Lais.*
3396. Chrétien de Troyes — *Yvain ou le Chevalier au Lion.*
3397. Jules Vallès — *L'Enfant.*
3398. Marivaux — *L'Île des Esclaves.*
3399. R.L. Stevenson — *L'Île au trésor.*
3400. Philippe Carles
       et Jean-Louis Comolli — *Free jazz, Black power.*
3401. Frédéric Beigbeder — *Nouvelles sous ecstasy.*
3402. Mehdi Charef — *La maison d'Alexina.*
3403. Laurence Cossé — *La femme du premier ministre.*
3404. Jeanne Cressanges — *Le luthier de Mirecourt.*
3405. Pierrette Fleutiaux — *L'expédition.*
3406. Gilles Leroy — *Machines à sous.*
3407. Pierre Magnan — *Un grison d'Arcadie.*
3408. Patrick Modiano — *Des inconnues.*
3409. Cees Nooteboom — *Le chant de l'être et du paraître.*
3410. Cees Nooteboom — *Mokusei !*
3411. Jean-Marie Rouart — *Bernis le cardinal des plaisirs.*
3412. Julie Wolkenstein — *Juliette ou la paresseuse.*
3413. Geoffrey Chaucer — *Les Contes de Canterbury.*
3414. Collectif — *La Querelle des Anciens et des Modernes.*

3415. Marie Nimier — *Sirène.*
3416. Corneille — *L'Illusion Comique.*
3417. Laure Adler — *Marguerite Duras.*
3418. Clélie Aster — *O.D.C.*
3419. Jacques Bellefroid — *Le réel est un crime parfait, Monsieur Black.*
3420. Elvire de Brissac — *Au diable.*
3421. Chantal Delsol — *Quatre.*
3422. Tristan Egolf — *Le seigneur des porcheries.*
3423. Witold Gombrowicz — *Théâtre.*
3424. Roger Grenier — *Les larmes d'Ulysse.*
3425. Pierre Hebey — *Une seule femme.*
3426. Gérard Oberlé — *Nil rouge.*
3427. Kenzaburô Ôé — *Le jeu du siècle.*
3428. Orhan Pamuk — *La vie nouvelle.*
3429. Marc Petit — *Architecte des glaces.*
3430. George Steiner — *Errata.*
3431. Michel Tournier — *Célébrations.*
3432. Abélard et Héloïse — *Correspondances.*
3433. Charles Baudelaire — *Correspondance.*
3434. Daniel Pennac — *Aux fruits de la passion.*
3435. Béroul — *Tristan et Yseut.*
3436. Christian Bobin — *Geai.*
3437. Alphone Boudard — *Chère visiteuse.*
3438. Jerome Charyn — *Mort d'un roi du tango.*
3439. Pietro Citati — *La lumière de la nuit.*
3440. Shûsaku Endô — *Une femme nommée Shizu.*
3441. Frédéric. H. Fajardie — *Quadrige.*
3442. Alain Finkielkraut — *L'ingratitude.* Conversation sur notre temps
3443. Régis Jauffret — *Clémence Picot.*
3444. Pascale Kramer — *Onze ans plus tard.*
3445. Camille Laurens — *L'Avenir.*
3446. Alina Reyes — *Moha m'aime.*
3447. Jacques Tournier — *Des persiennes vert perroquet.*
3448. Anonyme — *Pyrame et Thisbé, Narcisse, Philomena.*
3449. Marcel Aymé — *Enjambées.*
3450. Patrick Lapeyre — *Sissy, c'est moi.*
3451. Emmanuel Moses — *Papernik.*
3452. Jacques Sternberg — *Le cœur froid.*

3453. Gérard Corbiau — *Le Roi danse.*
3455. Pierre Assouline — *Cartier-Bresson (L'œil du siècle).*

3456. Marie Darrieussecq — *Le mal de mer.*
3457. Jean-Paul Enthoven — *Les enfants de Saturne.*
3458. Bossuet — *Sermons. Le Carême du Louvre.*
3459. Philippe Labro — *Manuella.*
3460. J.M.G. Le Clézio — *Hasard* suivi de *Angoli Mala.*
3461. Joëlle Miquel — *Mal-aimés.*
3462. Pierre Pelot — *Debout dans le ventre blanc du silence.*

3463. J.-B. Pontalis — *L'enfant des limbes.*
3464. Jean-Noël Schifano — *La danse des ardents.*
3465. Bruno Tessarech — *La machine à écrire.*
3466. Sophie de Vilmorin — *Aimer encore.*
3467. Hésiode — *Théogonie et autres poèmes.*
3468. Jacques Bellefroid — *Les étoiles filantes.*
3469. Tonino Benacquista — *Tout à l'ego.*
3470. Philippe Delerm — *Mister Mouse.*
3471. Gérard Delteil — *Bugs.*
3472. Benoît Duteurtre — *Drôle de temps.*
3473. Philippe Le Guillou — *Les sept noms du peintre.*
3474. Alice Massat — *Le ministère de l'intérieur.*
3475. Jean d'Ormesson — *Le rapport Gabriel.*
3476. Postel & Duchâtel — *Pandore et l'ouvre-boîte.*
3477. Gilbert Sinoué — *L'enfant de Bruges.*
3478. Driss Chraïbi — *Vu, lu, entendu.*
3479. Hitonari Tsuji — *Le Bouddha blanc.*
3480. Denis Diderot — *Les Deux amis de Bourbonne* (à paraître).

3481. Daniel Boulanger — *Le miroitier.*
3482. Nicolas Bréhal — *Le sens de la nuit.*
3483. Michel del Castillo — *Colette, une certaine France.*
3484. Michèle Desbordes — *La demande.*
3485. Joël Egloff — *«Edmond Ganglion & fils».*
3486. Françoise Giroud — *Portraits sans retouches (1945-1955).*

3487. Jean-Marie Laclavetine — *Première ligne.*
3488. Patrick O'Brian — *Pablo Ruiz Picasso.*
3489. Ludmila Oulitskaïa — *De joyeuses funérailles.*

3490. Pierre Pelot — *La piste du Dakota.*
3491. Nathalie Rheims — *L'un pour l'autre.*
3492. Jean-Christophe Rufin — *Asmara et les causes perdues.*
3493. Anne Radcliffe — *Les mystères d'Udolphe.*
3494. Ian McEwan — *Délire d'amour.*
3495. Joseph Mitchell — *Le secret de Joe Gould.*
3496. Robert Bober — *Berg et Beck.*
3497. Michel Braudeau — *Loin des forêts.*
3498. Michel Braudeau — *Le livre de John.*
3499. Philippe Caubère — *Les carnets d'un jeune homme.*
3500. Jerome Charyn — *Frog.*
3501. Catherine Cusset — *Le problème avec Jane.*
3502. Catherine Cusset — *En toute innocence.*
3503. Marguerite Duras — *Yann Andréa Steiner.*
3504. Leslie Kaplan — *Le psychanalyste.*
3505. Gabriel Matzneff — *Les lèvres menteuses.*
3506. Richard Millet — *La chambre d'ivoire...*
3507. Boualem Sansal — *Le serment des barbares.*
3508. Martin Amis — *Train de nuit.*
3509. Andersen — *Contes choisis.*
3510. Defoe — *Robinson Crusoé.*
3511. Dumas — *Les Trois Mousquetaires.*
3512. Flaubert — *Madame Bovary.*
3513. Hugo — *Quatrevingt-treize.*
3514. Prévost — *Manon Lescaut.*
3515. Shakespeare — *Roméo et Juliette.*
3516. Zola — *La bête humaine.*
3517. Zola — *Thérèse Raquin.*
3518. Frédéric Beigbeder — *L'amour dure trois ans.*
3519. Jacques Bellefroid — *Fille de joie.*
3520. Emmanuel Carrère — *L'adversaire.*
3521. Réjean Ducharme — *Gros mots.*
3522. Timothy Findley — *La fille de l'Homme au piano.*
3523. Alexandre Jardin — *Autobiographie d'un amour.*
3524. Frances Mayes — *Bella Italia.*
3525. Dominique Rolin — *Journal amoureux.*
3526. Dominique Sampiero — *Le ciel et la terre.*
3527. Alain Veinstein — *Violante.*
3528. Lajos Zilahy — *L'Ange de la Colère (Les Dukay tome II).*

3529. Antoine de Baecque

	et Serge Toubiana	*François Truffaut.*
3530.	Dominique Bona	*Romain Gary.*
3531.	Gustave Flaubert	*Les Mémoires d'un fou.*
		Novembre. Pyrénées-Corse.
		Voyage en Italie.
3532.	Vladimir Nabokov	*Lolita.*
3533.	Philip Roth	*Pastorale américaine.*
3534.	Pascale Froment	*Roberto Succo.*
3535.	Christian Bobin	*Tout le monde est occupé.*
3536.	Sébastien Japrisot	*Les mal partis.*
3537.	Camille Laurens	*Romance.*
3538.	Joseph Marshall III	*L'hiver du fer sacré.*
3540	Bertrand Poirot-Delpech	*Monsieur le Prince.*
3541.	Daniel Prévost	*Le passé sous silence.*
3542.	Pascal Quignard	*Terrasse à Rome.*
3543.	Shan Sa	*Les quatre vies du saule.*
3544.	Eric Yung	*La tentation de l'ombre.*
3545.	Stephen Marlowe	*Octobre solitaire.*
3546.	Albert Memmi	*Le Scorpion.*
3547.	Tchékhov	*L'Île de Sakhaline.*
3548.	Philippe Beaussant	*Stradella.*
3549.	Michel Cyprien	*Le chocolat d'Apolline.*
3550.	Naguib Mahfouz	*La Belle du Caire.*
3551.	Marie Nimier	*Domino.*
3552.	Bernard Pivot	*Le métier de lire.*
3553.	Antoine Piazza	*Roman fleuve.*
3554.	Serge Doubrovsky	*Fils.*
3555.	Serge Doubrovsky	*Un amour de soi.*
3556.	Annie Ernaux	*L'événement.*
3557.	Annie Ernaux	*La vie extérieure.*
3558.	Peter Handke	*Par une nuit obscure, je sortis de ma maison tranquille.*
3559.	Angela Huth	*Tendres silences.*
3560.	Hervé Jaouen	*Merci de fermer la porte.*
3561.	Charles Juliet	*Attente en automne.*
3562.	Joseph Kessel	*Contes.*
3563.	Jean-Claude Pirotte	*Mont Afrique.*
3564.	Lao She	*Quatre générations sous un même toit III.*
3565.	Dai Sijie	*Balzac et la Petite Tailleuse chinoise.*

Impression Société Nouvelle Firmin-Didot
à Mesnil-sur-l'Estrée, le 4 décembre 2001.
Dépôt légal : décembre 2001.
1er dépôt légal dans la collection : août 1997.
Numéro d'imprimeur : 57868.

ISBN 2-07-038944-8/Imprimé en France.